Llwyth
Gan **Dafydd Ja**

Comisiynwyd y ddrama hon gan Sgript Cymru a'i chynhyrchu gyntaf gan Sherman Cymru. Bu'r perfformiad cyntaf yn Chapter, Caerdydd, dydd Iau, 15 Ebrill, 2010.

Mae Dafydd James yn arddel ei hawl foesol i gael ei adnabod fel awdur y gwaith hwn.

Cedwir pob hawl ar y ddrama hon.
Dylid cyfeirio ceisiadau am berformiad o unryw fath, gan gynnwys darlleniadau neu ddetholiadau, mewn unrhyw gyfrwng neu iaith yn fyd-eang, at:
Sherman Cymru, Ffordd Senghennydd, Caerdydd CF24 4YE
Ffôn: +44(0) 29 2064 6900

Ni chaniateïr perfformiad o unryw fath heb sicrhau trwydded yn gyntaf. Dylid gwneud ceisiadau cyn dechrau ymarferion. Nid yw cyhoeddi`r ddrama hon yn awgrymu o anghenrhaid ei bod ar gael i'w pherfformio.

Llwyth   h. 2010
                                 Dafydd James

Am ragor o wybodaeth am drefniannau cerddorol y cynhyrchiad gwreiddiol cysylltwch â Sherman Cymru (manylion uchod).

Roedd y testun yn gywir wrth iddo fynd i'r wasg ond mae'n bosibl ei fod wedi newid yn ystod y cyfnod ymarfer.

Delwedd y Clawr: Kirsten McTernan
Dylunio: Rhys Huws
Cysodwyd gan: Eira Fenn
Argraffwyd yng Nghymru gan Wasg Cambrian, Aberystwyth. Cyhoeddir y llyfr hwn gyda chefnogaeth ariannol Cyngor Llyfrau Cymru.

ISBN: 978-1-907707-00-1

 Cyngor Celfyddydau Cymru, Arts Council of Wales   Supported by **The National Lottery** through the Arts Council of Wales   Cefnogwyd gan **Y Loteri Genedlaethol** trwy Gyngor Celfyddydau Cymru

CAST

Aneurin/Duncan	Simon Watts
Dada/Terry/Mam	Danny Grehan
Rhys/Clare	Paul Morgans
Gareth/Darren	Michael Humphreys
Gavin	Siôn Young

TÎM CYNHYRCHU

Awdur, Trefniannau a Chyfarwyddo Cerddorol	Dafydd James
Cyfarwyddwr	Arwel Gruffydd
Cynllunydd	Tom Rogers
Cynllunydd Goleuo	Johanna Town
Trefniannau Cerddorol Ychwanegol a Chynhyrchiad Sain	James Clarke
Rheolwr Llwyfan	Huw Darch
Dirprwy Reolwr Llwyfan	Rachel Burgess
Adeiladu Set	Mathew Thomas
Cyd-lynwyr Gweithdai	Bethan Marlow
	Sara Lloyd
Dramatwrgiaeth	Arwel Gruffydd
	Siân Summers

DIOLCHIADAU

Wow – www.wowbarcardiff.com; Brenda Knight; Sasha Dobbs; Fine Wines Direct; Aneirin Hughes; Owain Rhys Davies; Daniel Rochford; Siôn Alun Davies; Elen Bowman; Alun Guy (am ei drefniannau o *Y Cwm* a *Chwarae'n Troi'n Chwerw*); Mair a Doug James; Leah James; Sian Crawford a'r teulu.

CORAU LLWYTH

Chapter, Caerdydd – Côr Aelwyd y Waun Ddyfal
ac Aelodau o Fechgyn Bro Taf
Arweinyddion – Huw Alun Foulkes ac Owen Saer

Theatr y Torch, Aberdaugleddau – Corlan
Arweinyddes – Ceirios Jenner

Theatr Harlech/Neuadd Dwyfor, Pwllheli – Côr Eifionydd
Arweinyddes – Pat Jones

Theatr y Lyric, Caerfyrddin – Côr Seingar
Arweinyddes – Nicki Roderick

Theatr Dylan Thomas, Abertawe – Côr Waunarlwydd
Arweinyddes – Davida Lewis

Galeri, Caernarfon – Côr Dre
Arweinyddes – Angharad Wyn Jones

Canolfan y Celfyddydau, Aberystwyth – Côr ABC
Arweinyddes – Angharad Fychan

Clwyd Theatr Cymru, Yr Wyddgrug – Côr y Pentan
Arweinyddes – Sian Meirion

Oval House Theatre, Llundain – Côr Aelwyd Llundain
Arweinyddes – Marged Jones

SHERMAN
CYMRU

Ein nod yw cynhyrchu a chyflwyno theatr uchelgeisiol, dyfeisgar a chofiadwy ar gyfer ein cynulleidfaoedd, ac i greu cysylltiadau cryf, ymatebol a chyfoethog gyda'n cymunedau. Rydyn ni'n cynhyrchu gwaith Saesneg a Chymraeg ac yn teithio'n helaeth o amgylch Cymru a'r DU.

Am fwy o wybodaeth am weithgareddau Sherman Cymru ewch i - **www.shermancymru.co.uk**

Cefnogi'r Ymgyrch...

Mae drysau Sherman Cymru wedi cau ac mae'r broses o godi arian ar gyfer yr ailddatblygiad mor brysur ag erioed. 'Rydym yn falch iawn cael dweud wrthych ein bod wedi derbyn cyfraniad ychwanegol o £130,000 gan Lywodraeth Cynulliad Cymru sydd wedi cyrraedd yn ystod cyfnod allweddol yn yr ymgyrch.

'Rydym wedi codi'r swm anhygoel o £28,900 diolch i roddion unigol – sy'n golygu ein bod bron â bod hanner ffordd tuag at gyrraedd ein targed ar gyfer rhoddion unigol! Diolch o galon am eich cefnogaeth barhaol a ffyddlon hyd yma ond.........

......mae angen eich help arnom o hyd!

Drwy gyfrannu i'r ymgyrch, gallwch newid y profiad y byddwch chi a miloedd o rai eraill yn ei gael wrth ymweld â Sherman Cymru yn y dyfodol. Gallwch gyfrannu i un o'r apeliadau canlynol:

Apêl y Cyntedd
Wrth gyfrannu at Apêl y Cyntedd gallwch helpu greu diwyg cwbl newydd i gyntedd a mynedfa'r theatr.

Eisteddwch gyda Ni – Mabwysiadwch Sedd
Beth am fabwysiadu sedd yn y Sherman Cymru newydd am gyn lleied â £10 y mis (dros 24 mis)? Byddwch yn derbyn plac ar y sedd â'ch enw arno am 10 mlynedd, blaenoriaeth pan fyddwch yn archebu tocynnau a thaith arbennig o amgylch yr adeilad newydd.

Mae cyfrannu yn hawdd. Os hoffech chi wybod mwy am yr ymgyrch, cysylltwch â: Suzanne Carter ar **029 2064 6970** neu **suzanne@shermancymru.co.uk** neu ewch i **www.shermancymru.co.uk/cyfalaf**

v

Simon Watts
Aneurin/Duncan

Hyfforddwyd Simon yn Rose Bruford College, Llundain.

Theatr
Amgen:Broken (Sherman Cymru); *Festen, Great Expectations, Drowned Out, A Midsummer Night's Dream, To Kill a Mockingbird, Flora's War* (Clwyd Theatr Cymru); *Porth y Byddar* (Clwyd Theatr Cymru/Theatr Genedlaethol Cymru); *Cysgod y Cryman* (Theatr Genedlaethol Cymru); *Julius Caesar, Two Gentlemen of Verona* (Royal Shakespeare Company); *The Happiest Days of Your Life* (Royal Exchange Theatre); *Cressida* (Almeida Theatre); *Accrington Pals, Under Milk Wood, Charlotte's Web, A Christmas Carol* (Dukes Theatre, Lancaster); *A Midsummer Night's Dream* (New Wimbledon Theatre); *Bouncers* (Crowne Plaze, Dubai); *The Hobbit* (Taith DU).

Teledu
Call on Her, Rocket Man, William Jones (BBC); *Y Pris, Treflan* (S4C).

Ffilm
The Journey Home (Working Title); *Bronnau Meddwi Caru* (Opus); *Y Mapiwr* (Ffilmiau Gaucho).

Danny Grehan
Dada/Terry/Mam

Hyfforddwyd Danny yng Ngholeg Brenhinol Cerdd a Drama Cymru.

Theatr
The Thorn Birds, Romeo and Juliet, A Child's Christmas in Wales, Contender, Amazing Grace, Hamlet (Wales Theatre Company); *Beauty and the Beast* (Imagine); *My Fair Lady* (Aberystwyth Arts Centre); *The Hired Man* (Torch Theatre); *Cefnau a Chynffonau* (Cwmni Theatr 3D); *Marshmallows* (ScriptSlam - Sherman Cymru); *Martin a'r Pws Mewn Bwts* (Martyn Geraint).

Teledu
Teulu, Y Pris, Cowbois ac Injans, Pentre Bach (S4C); *Casualty* (BBC).

Ffilm
Summertime (Tornado Film).

Radio
Jodie, Plymio, Dial, Y Siwrna Adra (BBC Radio Cymru).

Paul Morgans
Rhys/Clare

Hyfforddwydd Paul yn Guildford
School of Acting.

Theatr
Dick Whittington (Channel
Theatre); *The Soldier's Tale* (Music
Theatre Wales); *Y Pair* (Theatr
Genedlaethol Cymru); *Linda* (Cwmni
Cydweithredol Troed-y-Rhiw); *The
Mousetrap* (St Martins Theatre);
Bartholomew Fair (Guildford Castle).

Teledu
Only in Wales (Calon); *Next Big
Thing*, *A470*, *Xtra* (S4C); *Pobol y
Cwm* (BBC); *Keep Off the Grass*
(Forgetaboutit Films).

Michael Humphreys
Gareth/Darren

Hyfforddwyd Michael yn Central
School of Speech and Drama.

Theatr
Tra'n hyfforddi yn cynnwys: *The
Visit*, *Boy A*, *Six Characters in
Search of an Author*, *Othello*,
Playing Paradise, *The Common
Good*, *Tartuffe*, *Hurricane Katrina
Project*, *A Midsummer Night's
Dream* (Central School of Speech
and Drama); *Boticelli's Bonfire*,
Whispers in the Woods (Theatr
Cenedlaethol Ieuenctid Cymru); *The
Tailor's Daughter* (Opera Ieuenctid
Cenedlaethol Cymru).

Teledu
Doctor Who (BBC Wales); *Nuts and
Bolts* (HTV).

Siôn Young
Gavin

Mae Siôn ar ei ail flwyddyn yn Royal Scottish Academy of Music and Drama a dyma'i berfformiad llwyfan proffesiynol cyntaf.

Theatr
Tra'n hyfforddi yn cynnwys: *The Zoo Story*, *Dying For It*, *Uncle Vanya*, *Gilgamesh* (Royal Scottish Academy of Music and Drama); *Magnificent Myths of the Mabinogi* (Theatr Cenedlaethol Ieuenctid Cymru).

Radio
Doll's Tea Set, *Inside Information*.

Dafydd James
Awdur/Trefniannau a Chyfarwyddo Cerddorol

Mae Dafydd yn awdur, yn gyfansoddwr ac yn berfformiwr gwobrwyol. Graddiodd gyda dosbarth cyntaf mewn Llenyddiaeth Saesneg o Brifysgol Caeredin, cyn mynd ymlaen i hyfforddi yn London International School of Performing Arts (LISPA). Yn ddiweddar cyflwynodd ei draethawd doethurol ar berfformio i Brifysgol Warwick.

Theatr
Fel awdur a chyfansoddwr yn cynnwys: *My Name is Sue* (Total Theatre Award – Gŵyl Caeredin, 2009/Taith DU i ddod – Mai 2010). Fel cyfansoddwr yn cynnwys: *The Hunting of the Snark* (Cameron Mackintosh Award – Stephen Joseph Theatre); *Ghost Shirt* (The Tron, Glasgow); *Mythed* (3Sticks, Taith i America); *Under Milk Wood*, *Pinocchio* (Northampton Royal Playhouse); *Apocalypse Wow* (The Venue, London); *Blast* (3Sticks, Taith i Ganada); *Woof Woof Kerching* (Battersea Arts Centre); *Geek Tragedy* (Wales Millennium Centre); *Strike 25* (Mess up the Mess).

Fel perfformiwr ac artist gwadd yn cynnwys gwaith gyda: Theatr Genedlaethol Cymru, Theatr na n'Og, Northampton Royal Playhouse, The Onassis Programme, The Royal Scottish Academy of Music and Drama, Sherman Cymru, BAC, The Lyric Hammersmith, The Gate.

Mae Dafydd hefyd yn artist cyswllt gyda chwmni theatr Ladder to the Moon sydd yn gweithio gyda phobl sydd yn byw gyda dementia.

Arwel Gruffydd
Cyfarwyddwr

Graddiodd Arwel o Brifysgol Bangor, cyn mynd ymlaen i hyfforddi fel actor yn Webber Douglas, Llundain. Mae'n un o Gyfarwyddwyr Cyswllt Sherman Cymru.

Cyfarwyddo (Theatr)

Ceisio'i Bywyd Hi, *Maes Terfyn* (Sherman Cymru); *Yr Argae* (Sherman Cymru/Torri Gair); *Croendenau*, *Agamemnon*, *O'r Gegin i'r Bistro* (Coleg y Drindod); *Noson i'w Chofio*, *Gwe o Gelwydd* (Cwmni Inc); *Mae Sera'n Wag* (Sgript Cymru/Prosiect 9); *Hedfan Drwy'r Machlud* (Sgript Cymru/ Coleg Brenhinol Cerdd a Drama Cymru); *Teyrnged i'r Diweddar Graham Laker* (Theatr Gwynedd); *Life of Ryan....and Ronnie* (Sgript Cymru – Cyfarwyddwr Cynorthwyol).

Fel actor - theatr, teledu a ffilm yn cynnwys: *Under Milk Wood* (Royal & Derngate, Northampton); *Diweddgan* (Theatr Genedlaethol Cymru); *Drws Arall i'r Coed*, *Diwrnod Dwynwen* (Sgript Cymru); *Amadeus*, *Ddoe Yn Ôl*, *Y Werin Wydr* (Cwmni Theatr Gwynedd); *Treflan*, *Bob a'i Fam*, *Cyw Haul*, *Heidi*, *Eldra*, *Oed yr Addewid*, *Atgof*, *Hedd Wyn*, *Stormydd Awst* (S4C).

Tom Rogers
Cynllunydd

Mae ei gynlluniau diweddar yn cynnwys: *Twelfth Night* (Cambridge Arts Theatre); *The Secret Marriage*, *Cinderella* (Scottish Opera); *La Fille du Regiment* (Opera Holland Park); a chynhyrchiadau i ddod: *Curtains*, *Albert Herring* (Guildhall).

Mae ei gynlluniau theatr yn cynnwys: *Laughing Gas* (BAC/Taith Theatre Royal Plymouth); *Letters of War* (National Youth Theatre); *The Man Who* (Orange Tree Richmond); *Death and the Maiden* (New Wolsey Theatre, Ipswich); *The Chimes* (Southwark Playhouse); *The Librarian's Joke* (Pleasance/Taith DU).

Mae ei gynlluniau opera yn cynnwys: *Flight* (RSAMD); *Eugene Onegin* (British Youth Opera); *Let's Make an Opera/ The Little Sweep* (Aldeburgh Productions); *The Magic Flute and The Broomstick* (Wigmore Hall); *Alfonso und Estrella* (Bloomsbury Theatre). Mae ei gynlluniau dawns yn cynnwys: *Les Amoreux* (Company Company Chordelia).

Ar gyfer Guildhall School of Music and Drama: *Tipping the Velvet*, *City of Angels*, *Die Zauberflote*, *The Winter's Tale*, *The Real Inspector Hound*, *Black Comedy*, *Certain Young Men*, *The Long Christmas Dinner*, *A Dinner Engagement*, *Tale of Two Cities*, *La Finita Semplice*.

Johanna Town
Cynllunydd Goleuo

Mae Johanna wedi cynllunio ar gyfer amrywiaeth o sioeau theatr ac opera; mae ei gwaith diweddar yn cynnwys: *Speaking in Tongues*, *Fat Pig* (West End); *Pride and Prejudice* (Ar Daith); *The Tragedy of Thomas Hobbes* (RSC); *Dreams of Violence* (Out Of Joint); *Haunted, The Glass Menagerie* (Royal Exchange/Ar Daith); *A Raisin in the Sun* (Royal Exchange); *For King and Country* (Ar Daith); *The Ride of Your Life* (Polka); *The Hounding of David Oluwale* (WYP/Ar Daith); *Kátya Kabanová, Cinderella, The Secret Marriage* (Scottish Opera).

Mae ei chynlluniau goleuo eraill yn cynnwys sawl cynhyrchiad yn y West End, nifer o gynhyrchiadau Out of Joint a'r National Theatre a thros 50 o gynhyrchiadau'r Royal Court. Mae hi hefyd wedi gweithio i theatrau lleol ar draws y DU, ynghyd â lleoliadau yn amrywio o'r Iwerddon i Efrog Newydd, Sydney i Seland Newydd. Mae Johanna hefyd wedi gweithio gyda sawl cwmni opera gan gynnwys Classical Opera, Nice Opera House, Opera 80 a Music Theatre London.

James Clarke
Trefniannau Cerddorol Ychwanegol a Chynhyrchiad Sain

Graddiodd James mewn cerddoriaeth o Brifysgol Bryste gan arbenigo mewn cynhyrchiad sain, esthetig a chyfansoddi. Perfformiwyd *Eleutherios*, ei waith cerddorfaol cyntaf, gan y Bristol University Symphony Orchestra yn 2000. Dyma oedd cychwyn ei yrfa fel cynhyrchydd drwy gyfuno ei sgiliau creadigol a thechnolegol amrywiol gydag ysgrifennu a threfnu mewn sawl *genre* gwahanol gan gynnwys dawns, hip-hop, R & B, pop, roc a chlasurol.

Llynedd fe'i gomisiynwyd gan Gynulliad Cenedlaethol Cymru fel rhan o ymgyrch codi ymwybyddiaeth newid hinsawdd i gyd-ysgrifennu, cynhyrchu a pherfformio *Carbon Soldier*, ac fe'i gomisynwyd gan Opera Cenedlaethol Cymru i ysgrifennu ei opera gyntaf, *Billy & The Dragon*. Yn ddiweddar mae James wedi gweithio fel cynhyrchydd i Pete Lawrie (Island Records) ac mae ganddo ddeunydd ar albwm cyntaf Pete Lawrie, i'w rhyddhau yn hwyrach eleni.

Mae James yn rheolwr ar y stiwdio recordio yn Nhŷ Cerdd yng Nghanolfan Mileniwm Cymru ac mae'r cleientiaid yn cynnwys y BBC, Opera Cenedlaethol Cymru, S4C, Jem, Academi, Alun Hoddinot, Dennis O'Neill, David Childs, Peter Karrie a Bryn Terfel.

Mae James hefyd yn uwch-gynghorydd technoleg cerddoriaeth i wasanaeth cerdd Cyngor Caerdydd a Chyngor Bro Morgannwg.

Llwyth
Gan Dafydd James

I Andrew, Derfel ac Iwan

CYMERIADAU

Aneurin
Dada
Rhys
Gareth
Gavin

Darren
    (Chwaraeïr gan yr actor sy'n portreadu Gareth)
Clare
    (Chwaraeïr gan yr actor sy'n portreadu Rhys)
Terry
    (Chwaraeïr gan yr actor sy'n portreadu Dada)
Duncan
    (Chwaraeïr gan yr actor sy'n portreadu Aneurin)
Mam
    (Chwaraeïr gan yr actor sy'n portreadu Dada)

Côr SATB

1

Bore Sadwrn, ddiwedd Mawrth.
Mae Rhys yn canu iddo'i hun ychydig linellau o **Ysbryd y Nos.**
Yna mae Rhys yn ymarfer gyda chôr mewn festri capel yng
Nghaerdydd. Mae'r gerddoriaeth yn gyfuniad o **Y Cwm** *a*
Chwarae'n Troi'n Chwerw.
Mae'r gerddoriaeth yn oedi.
Mae Aneurin yn gwibio lawr Burghley Road, Llundain.

ANEURIN:
Haul braf
A'i nwyd yn cydio.
Vest-tops cynta'r gwanwyn,
Bechgyn yn prancio a
Dynion.
Llwyth o ddynion,
Llwyth o gyhyrau;
Cnawd ar gerdded,
Tra bo fi ar feic ar frys
Yn chwys diferol.
Ond ma' 'na flas ar y chwys;
Blas braf,
Blas chwant.
A Llundain, fel fi,
Yn hyfryd yn yr haul.
O! Dwi'n dwli ar y ddinas fawr ddrwg.
Ymgolli drwyddi draw.
Colli fy hun,
Ffeindio fy hun.
Mor hawdd perthyn i'r amhersonol.

Heb enw, heb enwad,
Getting lost; letting go . . .
Ond wrth gwrs,
Dwi'n gwbod yn iawn le odw i nawr.
Lawr Burghley Road,
Troi i'r dde,
Ac ar y gorwel mae'r llyn fel petai'n chwerthin.
Dwi bron yn gallu clywed y llyn yn chwerthin.

       – Fuck you!

       – Sorry. Didn't see you there!

Crotchety fat breeder â wyneb fel hwrdd,
Tri o blant yn sgrechen fel moch.
Ei buggy fel tanc yn mynnu tiriogaeth.
A hithau'r jeli blonegog chwyslyd
Yn rhegi ei hawl i'r pafin.

Oblegid Duw a ddwedodd:
Agor dy goesau, beichioga'n ddiarwybod.
A thi a geir freintiau a budd-daliadau
Yn wobr am ddod â'r bastards bach i'r byd.

Dwi bron yna.
Mae'r glesni ar y gorwel,
A'r bobol fel llygod yn heidio at

       – Cheese

       – Shit! Sorry!

O wel,
Fydd honna'n werth arian rhyw ddiwrnod:

Mae'r côr yn cael egwyl o'r ymarfer. Mae Rhys yn mynd ati i alw Aneurin.

The black blur is indeed Aneurin Wyn Roberts,
Winner of last year's Booker Prize
For his fantastic first novel,
Racing past the tennis court
To get some well-deserved . . .

Mae ffôn yn dirgrynu ym mhoced Aneurin.

Blydi hell.
Not now, Dad, not now.
This is my time, my time.

Mae Aneurin yn estyn ei ffôn o'i boced i weld yn union pwy sy'n galw.

Oh!
My favourite gay!

ANEURIN: Beth ti moyn?

RHYS: Ble wyt ti?

ANEURIN: Ble ti'n feddwl?

RHYS: Ar fore Sadwrn?

ANEURIN: Last chance, lovely.

RHYS: Slag.

ANEURIN: Rhys Thomas, I take offence at that! Ti'n canu ar fore Sadwrn, that's equally anifeilaidd.

3

RHYS: Ma' 'da fi gystadleuaeth dydd Gwener. Beth yw dy excuse di?

ANEURIN: I'm doing it for others. Dwi'n bod yn altruistic.

RHYS: Twat.

ANEURIN: Knob.

RHYS: Make notes. Fydd Gareth moyn gwbod popeth . . .

ANEURIN: T'wel, I'm doing it for him. I'll report back with all the gory details! It's my gwobr. Am fy narganfyddiad ysgytwol am Iolo Morganwg . . .

RHYS: Really?

ANEURIN: 'Weda'i heno.

RHYS: Megabus?

ANEURIN: Yep. Kingsway, quarter past five. See you then.

RHYS: Fydd hi'n bedlam. Mae'r match prynhawn 'ma.

ANEURIN: Fydd hi'n bedlam achos fydda i nôl. Love you.

RHYS: Whatever.

ANEURIN: Who's your favourite Aneurin?

RHYS: Aneurin Bevan.

ANEURIN: Ta-ra twat.

RHYS: Ta-ra!

Mae Rhys yn mynd i ail-ymuno gyda'r côr. Mae'r ymarfer yn ail-ddechrau.

ANEURIN:
Sdim llonydd i ga'l.
Ond 'mla'n â fi.
Gan osgoi mamau a phlant and a . . .
Blydi hell!
A skunk on a lead called Stinky.
On a lead!
Only in London.

Mae'r côr yn canu cytgan olaf **Chwarae'n Troi'n Chwerw.**

A dwi'n hedfan
Lawr y tyle
A ma' pawb yn edrych:
Look at him go!
Isn't he sexy!
Isn't he clever!
Isn't he wonderful!
Yes, thank you very much everybody,
Yes I am!
And my audience awaits.

Rownd y gornel, rownd y llwyn,
The berth gives birth to

(Thank fuck it's the weekend!)
An ocean of Orthodox Jews and
Glorious, glorious gays.
Helo Hampstead Heath!
Ma' Aneurin Wyn Roberts wedi dyfod o'r diwedd.

2

Fflat Dada, Celestia, Bae Caerdydd.
Mae Dada'n ymlacio gyda gwydr mawr o win coch.
Rhys ac Aneurin yn cyrraedd.

DADA: Co hi!

RHYS: The wanderer returns!

DADA: Y'ch chi'n iawn?

ANEURIN: Bloody marvellous. Pour me a wine, Dada.

DADA: Coch neu . . . ?

ANEURIN: Gwyn, plîs. Make it a big one.

DADA: I wouldn't have it any other way.

RHYS: Ble ma' fe?

DADA: Toilet.

RHYS: Odi e'n pissed?

DADA: Gad e fod, mae'n dathlu.

ANEURIN: Dathlu be'?

DADA: Promotion.

RHYS: Manager.

ANEURIN:	Y gym?
RHYS:	Na, Kylie Minogue!
ANEURIN:	Ond mae'n rhy ifanc, nagyw e?
DADA:	Obviously not.
ANEURIN:	Manager?
RHYS:	Ydi. Gareth yn frenin ar holl fuscles y fro. The smell of sweat. 'Mor wlyb, mor chwaethus o wlyb' . . .
ANEURIN:	That's hot, Rhys.
RHYS:	Wy'n gwbod. Odi e'n pissed?
DADA:	Tipsy.
ANEURIN:	Excellent.
DADA:	Nawr 'te ti, 'rosa gytre' am 'chydig bach. Dada missed you.
ANEURIN:	Do fe?
DADA:	Do. S'o fe r'un peth hebddo ti.
RHYS:	Odi e 'di bihafio, though?
DADA:	Fel angel.
RHYS:	O'dd Lucifer yn angel.

DADA: Co ti, darling. Ti nôl am sbel tro hyn?

Curiad.

DADA: Shwt ma' dy Dad?

RHYS: Ie, sut ma' ddi?

ANEURIN: S'o Dad 'di ca'l sex change.

RHYS: Dy fam, you idiot.

ANEURIN: Bloody fine. Siarad dwli am vol-au-vents. Right as rain.

RHYS: Vol-au-vents?

ANEURIN: Chicken and mushroom. Mmm, ma' hwn yn neis iawn, Dada.

RHYS: Na'i ddod 'da ti i weld hi rhywbryd wythnos 'ma.

ANEURIN: I wouldn't bother, tro diwetha o'dd hi'n meddwl mai Margaret Williams o't ti.

DADA: Easy mistake.

RHYS: Thank you, Dada!

ANEURIN: O'dd hi ddim yn bell off 'da ti chwaith.

DADA: Pam, pwy o'n i?

ANEURIN: Tony ac Aloma.

DADA: P'un?

ANEURIN: Y ddau.

Daw Gareth i mewn.

DADA: Co hi!

GARETH: Evening all!

RHYS: Ti *yn* pissed.

ANEURIN: How's my clever boy then?

GARETH: Mr Roberts. Yey!

Mae'n cydio yn Aneurin.

GARETH: Any rudies?

ANEURIN: Loads.

RHYS: Gareth!

GARETH: What?

RHYS: Newydd ddod miwn ma' fe!

GARETH: So? I want to know. Faint?

DADA: Faint o'r gloch yw hi?

ANEURIN: Faint?

GARETH/
DADA: Ie.

RHYS/
ANEURIN: Six thirty/ Five plus.

DADA: Pryd ma' *Strictly*?

GARETH: What the hell does that mean? You're filthy!

ANEURIN: S'o ti'n watcho *Strictly*.

DADA: Plîs? *Comic Relief* special.

ANEURIN: Ges *i* comic relief unwaith – clown o
Borthmadog.

DADA: Esgidiau mawr?

ANEURIN: Gigantic.

GARETH: What does five plus mean?

ANEURIN: You what?

GARETH: Five plus, rudies with five plus.

ANEURIN: Well, rudies three involved several, so I'm not
really sure.

GARETH: Why?

ANEURIN: It was pitch black.

DADA: Ych a fi!

RHYS: Siarada Gymraeg 'da fe, Aneurin, ma' isie i fe ymarfer.

ANEURIN: Bysen i yn 'sen i'n gwbod beth oedd y gair Cymraeg am orgy.

DADA: Mwy o win?

ANEURIN: Beth am y Bollinger?

DADA: S'o ni'n agor y Bollinger.

ANEURIN: Oh, go on!

DADA: Special occasion.

ANEURIN: Mae *yn* special occasion. 'Wi gytre'.

DADA: O't ti nôl dair wythnos nôl.

ANEURIN: So? Golles di fi?

DADA: Llefen bob nos.

GARETH: A fi.

RHYS: Bob nos.

GARETH: Except for ddoe.

ANEURIN: Beth ddigwyddodd ddo'?

RHYS: Be' ti'n feddwl?

ANEURIN: Rudies?

GARETH: Ie!

RHYS: O'dd e'n fachgen da ddo'. Dath e rownd B and Q 'da fi.

GARETH: And Homebase.

RHYS: A Homebase.

DADA: Iyffach. 'Wi'n mynd rownd Homebase drwy'r amser and no such luck.

ANEURIN: You should try Asda.

DADA: S'o Dada'n mynd i Asda. Ma' Asda'n common.

ANEURIN: Ie, ond yr holl scallies!

DADA: So?

ANEURIN: Ar rollerblades withe 'fyd.

DADA: Well definitely not 'te. Ti'n gwbod shwt 'wi'n teimlo ymbyti rollerblades.

RHYS: A gan fod e 'di eistedd drwy gyngerdd y côr wythnos diwetha', ga'th e'r full works.

DADA: Pwp-dwll?

RHYS: Pwp-dwll.

ANEURIN: 'Sen i'n gorfod iste trwy 'Hafan Gobaith', I'd want pwp-dwll *a* civil partnership.

RHYS:	Well . . . (*Yn canu*) 'maybe next time, he'll be lucky, maybe next time' . . .
GARETH:	I enjoyed *Hafan Gobaith*!
DADA:	Wnes i 'fyd. Very rousing.
GARETH:	And that one you had a solo in, what was that?
DADA:	*Ysbryd y Nos*.
GARETH:	It's lush. You're so going to win with that.
ANEURIN:	Bollinger!
DADA:	Na. 'Wi 'di dweud, special occasion.
ANEURIN:	Mae'n International day; co ti special occasion.
DADA:	S'o hwnna'n golygu dim byd i ti!
GARETH:	And we lost.
ANEURIN:	I know. Brilliant, fydd isie bach o faldod ar y rugby boys.
GARETH:	They're off to X tonight too.
RHYS:	S'o ni'n mynd mas.
ANEURIN:	Rubgy boys on E; I can feel the love already. 'Na chi rheswm i ddathlu. Come on, Dada!

DADA: Na, na, na. Ma' hwnna i fi a neb arall.

ANEURIN: Pryd ddiawl ti'n mynd i agor hi 'te?

Curiad.

DADA: That's for me to know and you to find out.

RHYS: Ooh, ti jyst fel Mrs Madrigal.

GARETH: Mrs who?

RHYS: Never mind.

ANEURIN: Beth am pan fenna i'n llyfr?

DADA: Chance would be a fine thing.

ANEURIN: Actually Mrs Madrigal, 'wi ar y bennod olaf.

GARETH: O ie! How's the God-squad?

ANEURIN: Gododdin. Gododdin

GARETH: Gododdin. Alright?

ANEURIN: Good. About to reach its climax.

DADA: I do hope it's messy.

ANEURIN: Gloriously so.

GARETH: What was that line again?

ANEURIN: 'A queer transhistorial love story' . . .

RHYS/
ANEURIN: :   . . . 'for the *Dr Who* generation'.

ANEURIN: Very good, Rhys.

DADA: Beautiful.

GARETH: Trans-what?

ANEURIN: Transhistorical.

DADA: Danny la Rue. Now there's a trans-historical.
                God rest her soul.

ANEURIN: Not the same thing.

GARETH: Beth yw transhistorical?

ANEURIN: Drwy hanes. I've told you this before . . .

GARETH: Remind me.

ANEURIN: It's about time travel. Am foi sy'n teithio
                drwy'r space-time continuum yn cael loads o
                one night stands, cyn bod . . .

DADA: O le mae'r boi yn dod?

ANEURIN: Pwy?

DADA: Y boi. Y time traveller. Thingamajig . . .

ANEURIN: Owain. Owain Marro.

DADA: As in Owain fab Marro?

ANEURIN: Ie ond yn yn fersiwn i mae'n half-Italian ac yn byw uwchben Merola's yn Grangetown . . .

DADA: Fabulous.

ANEURIN: . . . sydd wedi ei adeiladu ar rift yn y space-time continuum a dyna sut mae'n teithio nôl i'r Hen Ogledd i yfed medd ac ymladd 'da'r Gododdin . . .

GARETH: Who were . . . ?

ANEURIN: Gay.

GARETH: You what?

ANEURIN: An ancient troop made up of pairs of gay lovers.

GARETH: Hot!

Curiad.

DADA: Woah funud fach. O'dd y Gododdin ddim yn gay!

ANEURIN: Shwt ti'n gwybod?

DADA: Achos sai'n cofio 'Gwŷr a grysiasant am goc' yn y Traddodiad Barddol.

ANEURIN: Dramatic licence.

DADA: Very dramatic.

ANEURIN: Wel os o'dd e'n wir am y sacred Band of Thebes, it could have been wir am y Gododdin. They fought for their lovers in Ancient Greece, I reckon Aneurin was dicking Owain fab Marro yn yr Hen Ogledd:

'Greddf gŵr, oed gwas
Gwryd am ddias;
Meirch mwth, myngfras –
O dan forddwyd mygrwas
Ysgwydd ysgafn, llydan
Ar bedrain meinfuan
Cleddyfawr glas, glân
Eddi aur affan'

TOTAL homo.

GARETH: That wasn't Welsh, that was a minor stroke.

DADA: Jyst achos na'th dy fam di alw'n ti'n Aneurin, s'o hwnna'n rhoi'r hawl i ti fastardeiddio'r Gododdin.

ANEURIN: It's just my take. I reckon they were all at it.

RHYS: No wonder nethon nhw gyd farw, o'n nhw 'di blino cyn cychwyn, poor dabs.

GARETH: Is your novel a porno?

ANEURIN: No! It's romantic. It's about love.

RHYS: A Iolo Morganwg?

ANEURIN: A-ha!

DADA: *Strictly*!

RHYS: Na, 'wi isie gwbod am Iolo Morganwg.

GARETH: What, one of your London shags?

DADA: Ma' fe 'di marw ers canrifoedd, bach.

GARETH: Marw? You slept with a dead man?

ANEURIN: Naddo!

RHYS: Wouldn't put it past you.

GARETH: Who's Iolo Morganwg?

DADA: Ti'n gwbod. Y boi nath greu'r Orsedd.

GARETH: What? Mr Urdd?

RHYS: Gareth, shut up!

GARETH: What?

RHYS: Ti'n bod yn stupid.

GARETH: But I don't get it.

DADA: Na'th e farw yn y nineteenth century, darling. Bardd. Poet.

GARETH: Well why didn't you say so?!

RHYS: 'Wi 'di dweud 'na wrthot ti. 'Wi 'di dweud ymbiti Iolo Morganwg. Sawl tro.

GARETH: I'm not thick, Rhys.

RHYS: 'Wedes i 'na?

GARETH: Might as well have.

ANEURIN: I reckon he's a gay.

GARETH: Of course I'm a gay.

RHYS: Not you, stupid!

GARETH: I'm not stupid. Oh for fuck's sake.

DADA: Tynnu dy go's di ma' fe.

GARETH: I'm having a line. Who wants a line?

Mae Gareth yn paratoi llinellau o cocaine.

DADA: Ooh, naughty! S'o Dada 'di dablo ers
             Eurovision.

GARETH: Want to dabble, Dada?

DADA: Go on then, ni yn dathlu.

RHYS: O'n i'n meddwl bod ti moyn watcho *Strictly*?

DADA: Well I'll be dancing myself in a minute.

ANEURIN: 'Wi newydd 'weud fod Iolo Morganwg yn
             gay. It's revolutionary.

DADA: Paid â bod yn soft, anyone who puts
               hundreds of men in frocks has to be a poof.

Mae Dada'n cymryd llinell.

DADA: Mmm, neis.

Curiad.

               Ooh, it feels sacrilegious with Elaine Page
               watching. She never approved.

GARETH: What about Liza Minnelli?

DADA: She doesn't mind! O's 'da ti dystiolaeth fod
               e'n boof?

ANEURIN: O's 'da ti dystiolaeth fod e'n syth?

Gan weld Gareth yn cymryd llinell.

ANEURIN: Oi, oi! Sai'n ca'l cynnig?

GARETH: Wrth gwrs, Mr Roberts. Thought you'd never
               ask.

Mae ffôn Aneurin yn dirgrynu.

RHYS: Come on! O's rhaid?

DADA: Jyst dychmyga mai medd yw e.

RHYS: They all died!

DADA: S'o ti'n mynd i ateb hwnna?

ANEURIN: Ignore it. It's my sister.

Mae Aneurin yn cymryd llinell.

GARETH: Come on, Rhys.

RHYS: Na.

ANEURIN: Mmm, that hit the spot.

RHYS: Dada, ddylet ti w'bod yn well.

ANEURIN: Come on, Rhys. Dwi newydd sgwennu pennod chwyldroadol.

RHYS: Chwyldroadol?

ANEURIN: Ie.

RHYS: Paid dweud. Owain a Iolo?

ANEURIN: Jacpot!

RHYS: Mae'n siŵr o roi (*ffug-barchus*) ysgytwad i'r academi Gymraeg heteronormative!

ANEURIN: Very good, Rhys!

GARETH: 'Heteronormative'?!

DADA: O'dd Iolo Morganwg yn briod.

ANEURIN: O'dd Ron Davies yn briod.

DADA: Touché. Line, Rhys?

GARETH: 'Heteronormative'?!

ANEURIN: Two point four kids, picket fence . . .

DADA: Line?

ANEURIN: Cats and dogs, my holier than thou, self-righteous, whinging sister . . .

RHYS: Ma' dy wâr di'n lovely, Aneurin.

ANEURIN: Mae'n wâr i'n berffaith.

DADA: Rhys?

RHYS: Oh fuck. Go on 'te. Ni'n mynd mas nawr, yndyn ni?

DADA: It's a full moon tonight!

Maent i gyd yn udo.

DADA: Oh, it never gets tired. A cyn i ni fynd mas beth am bach o *Strictly*?

PAWB: Na!

DADA: Plîs?

ANEURIN: O blydi hell. Rho fe 'mla'n, Rhys. Unrhyw beth am bach o dawelwch.

DADA: Diolch i ti, bach. Sdim byd fel watcho Bruce Forsyth when you're whizzing off your tits.

ANEURIN:
Cymundeb,
Cymuned.
Un teulu fel atalnod
Yn nodi man ein oedi.
Dada'n swnian am

DADA: Sparkles, let there be sparkles!

A Gareth a Rhys yn wenau i gyd.
Ond dwi,
Dwi'n ysu,
Ysu am fwy.
Mae'r dudalen heno'n lân:
Fi yw awdur fy nhynged!
Dim oedi,
Dim meddwl,
Achos
Pan ddaw yfory
Rhaid dweud ffarwel
A rhoi pob dim . . .

RHYS: Yn ôl y papurau, dyma'r peth caleta mae 'di
neud.

DADA: I don't care. Deborah Meaden should never
have attempted the cha-cha.

ANEURIN:
A co ni'n mynd . . .

3

Mermaid Quay, Bae Caerdydd. Mae'r pedwar yn cerdded i lawr y stryd.

ANEURIN:
Un uned ar garlam,
Ar ras wyllt i'r goleuni.
Trobwll o destosterone,
Ein chwant fel chwyrligwgan.
Dada'n dawnsio disco'n . . .

DADA: Fabulous!

ANEURIN:
Heibio Tesco a'r Eli Jenkins.
Rhys a Gareth mewn

**RHYS/
GARETH:**   His and hers matching tops.

RHYS: His is a Ralph Lauren . . .

GARETH: And his is from Asda, George selection.

RHYS: No one will ever know.

ANEURIN:
Mae'r ddinas i gyd ar garlam heno.
A ninnau fel bleiddiaid yn glafoerio,
Yn udo am waed.
Gwaed yn ein gyrru ar gyfeiliorn,

Gwaed ar garlam drwy'n gwythiennau
A chamau'n traed yn . . .

DADA: Un fach cloi?

RHYS: Beth am y taxi?

GARETH: Fuck the taxi.

ANEURIN:
Wrth i ni herio samba'r nos
Gyda rhythm ein gwrthbwynt dieflig.

Terra Nova, Bae Caerdydd.

ANEURIN: Bitter and three lagers please!

GARETH: Wow!

RHYS: Gareth, rho dy dafod yn dy geg.

GARETH: Three o'clock!

ANEURIN: Beth?

Gareth yn tynnu llun cylch yn yr awyr.

ANEURIN: Dish?

GARETH: Total.

ANEURIN: Ble?

GARETH: Eight o'clock now. Quick or he'll turn into a pumpkin.

DADA: Www, neis.

RHYS: Aneurin, slow down!

GARETH: Another one?

RHYS: Na, quick one o'dd hwn i fod.

GARETH: It was! Really quick.

RHYS: Usually is, darling.

GARETH: Piss off.

ANEURIN:
Ac at y bar â ni cyn i chware droi'n . . .

GARETH: Bitter, please, and a . . .

DADA: Alla'i ga'l gin, darling? Ma' Dada'n dechre teimlo'n bloated.

RHYS: Lager i fi . . .

ANEURIN: And a Vodka Red Bull, please. Come on, boys!

RHYS: Christ, Aneurin – ti ar mission heno.

ANEURIN: No rest for the . . .

Darren yn ymddangos yn sydyn.

DARREN: (*Acen Trelai*) Wicked bra! Where've you been 'iding mate!

27

ANEURIN: Fuck.

RHYS: Welai di'n y taxi rank.

ANEURIN:
Darren Boner Hughes.
So called
As he . . .

DARREN: Was up . . . ?!

ANEURIN:
In school
All the time.
Oversexed.

DARREN: Ain't seen you since school. 'Eard you've
been doing alright, though. Making a film,
right?

ANEURIN: Writing a book.

DARREN: Yer, that's it. Writin' a book. You were always
fucking smart, you cunt. What's it about?

ANEURIN: The Gododdin.

DARREN: The what?

ANEURIN: Have you heard of the Sacred Band of
Thebes?

DARREN: Rock band, innit?

ANEURIN: Something like that.

DARREN: Wicked!

ANEURIN:
And on we go.
Ymlaen, ymlaen, ymlaen.

GARETH: Taxi!

ANEURIN: Ddim hwnna.

GARETH: Pam?

ANEURIN: I've 'ad im.

GARETH: Fair enough. Have you 'ad *him*?

ANEURIN: No.

Curiad.

      But I will.

A'r tasci'n ein tywys
Yn dywysogion y nos.

Alright, drive?
Busy tonight?
Been out long?
Finishing late?

Yackity-yackity-yackity-yack.
Teiar ar darmac,
Olwyn ac olew,
Yn iro'n llwybr i uffern.
Pob cwestiwn

Yn ail-ddarllediad:
Adlais parhaol
Ystrydeb y stryd.
A ni,
Yr ystrydebau llon,
Yn dadlwytho'n dwt i'r dref.

Heol y Santes Fair.

Gareth nawr
Fel ci bach ffyddlon
Yn ceisio rhoi clamp o dafod yng nghlust ei berchennog
Cyn bowndio fel

RHYS: Bloody twat!

ANEURIN:
Ar hyd St Mary's Street.
A bwrw mewn i ryw ferch o'r enw

Mae Gavin yn ymddangos yn sydyn.

GAVIN: Watch where you're fucking going . . . Oh, hia
                 Mr Thomas!

ANEURIN:
Sori, *bachgen* o'r enw . . .

RHYS: Gavin. Shwt wyt ti?

GAVIN: Fi'n grêt, Mr Thomas. Fi'n cael amser gwych.
                 Fi wedi bod i Reflex gyda . . . Oi, Chanise –
                 wait a sec. Sori, Mr Thomas. Mae'n bursting.
                 Bet you didn't recognise me in my wig. Mae'n

fancy- dress yn Pulse heno. Fi yw Thelma, she's Louise.

RHYS: Deg mas o ddeg am ymdrech, Gavin.

GAVIN: Ydych chi'n gay, Mr Thomas?

RHYS: Pa fath o gwestiwn yw hwnna i ofyn i dy athro?

GAVIN: Wel s'o ti'n dysgu fi rhagor, wyt ti? So mae'n OK. *Fi'n* gay.

RHYS: Wyt ti nawr?

GAVIN: Ie. Ond mae'n cool. Mam fi wedi dod gyda fi i'r Golden a popeth. A mae wedi gadael i fi gwisgo make-up hi.

RHYS: Hyfryd iawn, Gavin.

GAVIN: Ie. Mae yn. Mae Mam fi'n lysh. Fi'n caru hi loads. Mae'n bos fi! Serious, yn Greggs. Boring, like, ond mae'n golygu fi'n gallu mynd allan, and it's not forever. Fi'n mynd i gwneud performing arts blwyddyn nesa. Ti'n mynd i gweld name fi in lights.

RHYS: 'Na'i ddisgwyl 'mlaen i hynny, Gavin.

GAVIN: Sori o'n i mor crap yn neud maths. O'n i'n hoffi ti.

RHYS: Diolch, Gavin.

GAVIN: Oes boyfriend gyda ti?

RHYS: Gavin!

GAVIN: Worth a try. Ti'n hot.

ANEURIN:
Ac mae Gavin yn diflannu
Tu ôl i fôr o grysau Burberry
Sy'n symud yn amwys araf
Tuag at Liquid Bar.

GARETH: You're cute.

RHYS: Beth ti'n feddwl?

GARETH: That was cute. You're cute.

ANEURIN:
Mae'n garnifal yr anifeiliaid heno:
Teigrod yn ysgyrnygu am gnawd,
Saith buwch mewn boob-tube a . . .

RHYS: Beth yw hwnna?

ANEURIN:
A . . .

GARETH: Oh my God!

ANEURIN:
A . . .

Mae pawb yn syllu i'r un cyfeiriad.

DADA: Morlo marw ar y ffordd.

GARETH: Fuck me, that's Clare. Clare? Clare? Clare, darling, you alright?

CLARE: I fuckin' loves you. It's my ex. Girls, it's my ex.

DADA: Pwy ddiawl yw hi?

GARETH: You've 'ad one too many, love.

CLARE: We lost. Gar. We lost.

GARETH: I know, darling. Oh, not on the shirt, not on the shirt!

ANEURIN:
Ac mae'n troi ei phen yr eiliad ola
I chwydu . . .

CLARE: I fuckin' loves you.

DADA: Ych a fi!

GARETH: Will somebody call an ambulance? Boys?!

DADA: Fydd hi'n iawn. Gâd hi i'r seven dwarfs.

ANEURIN:
Ac ymlaen â ni.

DADA: O't ti'n arfer mynd mas 'da honna?!

GARETH: We all have our pasts?

DADA: Yes, but your past has a vagina.

GARETH: And yours has Elaine Page.

Curiad.

ANEURIN: Elaine Page has a vagina.

**DADA/
GARETH:** Shut up, Aneurin.

Curiad.

RHYS: 'Mla'n â ni, ife?

Curiad.

ANEURIN:
Paramedics fel paratroopers
Yn stormio diffeithwch ein celfyddyd.
Chwydfa o bolystyrene a bagiau siop chips
Yn leinio stumog y stryd.
A ninnau'n cerdded,
Cerdded ymlaen,
Cerdded drwy hŵd a thân,
Cerdded â ffydd yn ein cân,
Ymlaen,
Ymlaen,
Ymlaen!

GARETH: Fancy a quick one?

DADA: Thought you'd never ask.

ANEURIN:
A mewn â ni
I gysgod y dafarn ddieflig
Lle mae Satan yn wên o glust i glust
A Kylie ar y juke box.

4

Kings Cross

ANEURIN:
Pedwar Aftershock yn ddiweddarach . . .

GARETH:	Rhif un?
ANEURIN:	Vicar, CP, Covent Garden.
GARETH:	Beth yw CP?
ANEURIN:	Corporal punishment.
GARETH:	You what?
RHYS:	Spanking, Gareth.
GARETH:	Cool.
RHYS:	Vicar? Mae hwnna bach yn . . .
ANEURIN:	Oedipal?
RHYS:	Wel . . . ie, a dweud y lleia.
ANEURIN:	My father's a gweinidog not a vicar.
GARETH:	Did he look like your dad?
RHYS:	Gareth!

DADA: CP, CP! S'o Dada'n lico meddwl am vicars brwnt yn cael eu dwylo bach blewog arnat ti.

ANEURIN: O'dd hwn ddim yn flewog, o'dd e'n wacso.

DADA: Wacso? A waxing vicar? Whatever next?

ANEURIN: A hairy biker.

DADA: Really?

ANEURIN: Na.

DADA: Www, 'sen i ddim yn gallu neud 'ny. Smo fi'n lico poen.

ANEURIN: Be', y wacso neu'r CP?

DADA: Y wacso. I enjoy a spanking.

ANEURIN: He had lovely eyes and a very firm hand.

DADA: Bravo. Lle ffindes di fe, 'te?

ANEURIN: Gaydar. But get this, right, o'dd rhif dau yn well. Muscleman with a fetish for lycra. Co fe'n dod rownd i'r fflat 'da'r bag massive 'ma and there's me thinking, 'fuck I've gone and copped off with Fred West'. Ond ddiflannodd e mewn i'r bathroom, a dod mas five minutes later wedi gwisgo fel . . .

PAWB: Ie?

ANEURIN: Superman.

RHYS: Superman?

ANEURIN: Serious. Figure-hugging lycra. Boots and all.

GARETH: A muscleman dressed as Superman?

ANEURIN: Yep. Se *ti* 'di dwli arno fe. Huge, I mean, HUGE biceps. Dychmyga . . .

DADA: Sori, ma' hwnna just yn weird. Hyd yn oed i ti.

RHYS: Not as weird as Custard-Pie Man.

DADA: O na, ti'n iawn. O'dd hwnna'n disgusting.

GARETH: So what happened?

ANEURIN: Dim byd really. O'n i ddim hyd yn oed yn ca'l tynnu'r lycra off. O'dd e just moyn gorwedd ar ei gefn ar y llawr 'da fi yn gorwedd ar ei ben e yn . . . wel . . .

DADA: Beth? Syrffo?

ANEURIN: Na . . . it was kind of like . . . body worship.

RHYS: Be' 'nes di, canu emyn?

ANEURIN: A little bit of kissing, nibbling, stroking. 'Na ni really.

DADA: Ddylet ti 'di canu *Craig yr Oesoedd*.

GARETH: Awesome!

RHYS: Boring.

DADA: Wel, 'sen i 'di mynnu ei fod e'n yn rhoi i
            mewn ffrog a 'ngalw i'n Lois (*sef Lois Lane*).

RHYS: Be', nethoch chi ddim hyd yn oed . . . ?

ANEURIN: Certainly not. Jyst minnau fel pererin . . .
            'mewn anial dir, yn crwydro yma a thraw' . . .
            yn addoli ar allor anferthol ei gorff.

RHYS: Ti'n gweld . . . beth o'dd ei enw e?

ANEURIN: Dunno. Superman?

RHYS: Ti'n gweld Superman 'to?

ANEURIN: Fydd rhaid i fi. He left his left boot.

DADA: Jiw, jiw. Shwt a'th e gytre' heb ei esgid?

ANEURIN: Hedfan.

GARETH: Shall we go?

RHYS: Gareth!

GARETH: But I want to go.

ANEURIN: Fair enough.

GARETH: Let's go to X. I want to dance.

RHYS: Mae'n rhy gynnar. Fydd neb 'na.

GARETH: Oh come on, I'm bored here.

RHYS: Ti wastad yn bored.

GARETH: Well, things are often boring.

Curiad.

DADA: Www, pwy yw'r hunky-spunky wrth y fruit machine?

RHYS: O blydi hell, co nhw fan hyn nawr.

GARETH: Who?

RHYS: Terry Williams.

GARETH: Fuck off! Where?

ANEURIN: Fyna, drws nesa i'r trannie.

GARETH: And he is.

RHYS: A blydi Duncan Colefield . . . God, ma' nhw gyd 'ma.

ANEURIN: Pwy?

RHYS: Rhiwbeina firsts. 'Ffrindiau' Gareth.

GARETH: Don't be sarky. They're fine.

RHYS: They're apes . . .

DADA: Who cares . . . this is better than porn!

RHYS: This isn't porn, it's *Gorillas in the Mist.*

GARETH: Shut up, Rhys.

DADA: Na, mae'n lot gwell na 'ny.

ANEURIN: Gorillas into fists?

Mae Terry'n ymuno â nhw.

GARETH: Alright, Terr?

TERRY: Alright, boys? Gar?

GARETH: Good thanks. Gutted though.

TERRY: Fucking shit, I tell you. But there you go, we should be proud, at least we're constant . . .

GARETH: Aye.

TERRY: Brilliant losers. That's what we are. No one can take that away from us. If there's one thing to be said about the Welsh, it's that we're fucking brilliant at losing!

GARETH: Too right! Yn gollwyr gwych.

TERRY: Very nice, Gareth Lloyd.

GARETH: Thank you, I've been practising. Treiglads and everything. Yn gollwyr gwych.

TERRY: Yn gollwyr gwych, aye!

GARETH:	Aye.
TERRY:	Buddugoliaethus o wych!
GARETH:	Too right.
TERRY:	What do you reckon, boys?
PAWB:	Aye.
TERRY:	So I don't know about you but I'm going to celebrate that. The one thing we do bloody well as a nation. Dwi'n cynnig llwncdestun i ni, y Cymry! As losers, we stand as one. Iechyd da, boys!
PAWB:	Iechyd da!
TERRY:	Can you get me a discount on Maximuscle?
GARETH:	'Course, Terr.
TERRY:	I'll be in on Monday, Gar. Hwyl i chi, boys.

Mae Terry'n gadael.

RHYS:	Twat.
GARETH:	Hypocrite
RHYS:	Be' ti'n feddwl, hypocrite?
GARETH:	You were the one wishing him good health.

RHYS: Ie, ond dan yn anadl i, I was wishing him AIDS.

ANEURIN: Neu diabetes. Apparently it's worse.

RHYS: Serious?

DADA: Ma' fe'n iawn: Dad had his leg chopped off, but Sissy, from the sauna, she's having the best sex she's ever had, medde hi.

GARETH: Boys!

ANEURIN: Be'?

GARETH: What the hell's wrong with you? You're talking about a human being.

RHYS: Really? A 'na le o'n i'n meddwl bod ni'n siarad am King Kong.

GARETH: You're such a bigot, Rhys.

RHYS: Os ti'n lico fe gyment pam nes di stopo ware 'da nhw 'te?

GARETH: You know why, I wanted to play for the Lions.

ANEURIN: Ti'n ware i'r Lions?

GARETH: I haven't actually played for them yet. Just joined.

ANEURIN: The gay team?

GARETH: Ie.

RHYS: Ie. A *pam* ti moyn ware i'r Lions?

GARETH: 'Cause I'll have more fun in the showers.

Curiad.

GARETH: God, I'm joking, mun!

RHYS: A dwi ddim yn bigot. Na'th y boi 'na sello-tapo fi i'r ffenest yn yr ail flwyddyn a hwpo permanent marker coch lan yn nostril i.

GARETH: In the *ail* flwyddyn, Rhys! That was like . . .

ANEURIN: Sixteen.

GARETH: Sixteen years ago. Get over it.

RHYS: Ma' nhw dal yn galw fi'n Rudolph! Pam ddylen i?

GARETH: 'Cause you're gorgeous, you've got a good job, good friends and an alright boyfriend who loves you very much so it doesn't really matter in the grand scheme of things, so why should you care?

RHYS: Because I do, and therefore the 'alright' boyfriend who loves me very much should do too, but he doesn't, and therefore in the grand schemes of things I've got even more to be pissed off about.

Curiad.

ANEURIN: O's rhywun moyn clywed am yr orgy ges i?

GARETH/
RHYS: Na.

Saib.

GARETH: I'm going for a fag.

Mae Gareth yn gadael.

Saib.

ANEURIN: Rhys . . .

RHYS: Paid.

ANEURIN: O'dd hwnna bach yn uncalled for.

RHYS: Fel dy gyngor di, so kindly shut up.

ANEURIN: Beth sy'n bod, bach?

RHYS: Dim.

Curiad.

RHYS: Fi'n mynd i'r toilet.

Mae'n gadael.

DADA: Lovers' tiff?

ANEURIN: As always.

DADA: Chi o'n i'n olygu.

ANEURIN: I don't think so.

DADA: Dwed di.

ANEURIN: Beth?

DADA: Dim.

Curiad.

DADA: Tell me about the orgy.

ANEURIN: Na, sa'i moyn nawr.

DADA: Paid â pwdu.

ANEURIN: Sa'i moyn.

DADA: Faint?

ANEURIN: No idea.

DADA: Amcangyfrif?

Curiad.

ANEURIN: Pymtheg?

DADA: Pymtheg? My God, pwy o'n nhw? Y Rhiwbeina firsts?

ANEURIN: Dunno who they were. O'dd hi'n dywyll.

DADA: Ble o't ti?

ANEURIN: Vault 147, *Boots Only* night.

DADA: Boots only?

ANEURIN: Ie. Boots *only.*

DADA: O!

ANEURIN: Chi'n gadel eich dillad wrth y drws. Ma' nhw'n rhoi plastig bag i chi gadw'ch arian.

DADA: A co fi'n meddwl bydde 'na ddigon o slots i hwpo'r newid.

ANEURIN: Dada! Y'ch chi'n ddrwg!

DADA: Yndyf i! So beth ddigwyddodd?

ANEURIN: All sorts. Ar un pryd o'dd 'da fi goc yn bob llaw, a'n un i mewn ceg. O'n i'n shiglo gyment, I could have been an epileptic.

DADA: Aneurin! Fucking hell!

ANEURIN: Na, fucking heaven!

Rhys yn dychwelyd.

RHYS: Ma' fe 'di mynd.

DADA: Pwy? Gareth?

RHYS:　　　　Ie.

ANEURIN:　　Gytre'?

RHYS:　　　　Na, X.

Curiad.

RHYS:　　　　With the fucking Rhiwbina firsts.

Curiad.

DADA:　　　　Could be worse.

RHYS:　　　　Shwt 'ny?

DADA:　　　　He could have gone with the seconds.

Curiad.

ANEURIN:　　Beth ti moyn neud, cariad?

RHYS:　　　　Wel, sai'n mynd i redeg ar ôl e. Falle bo fi
'di bod bach yn fyrbwyll ond sa'i mynd i
ymddiheuro. Sa'i mynd i adel i fe ga'l y
boddhad. Geith e neud fel mae e moyn, a fi
'fyd – we're not tied at the hip. We can do as
we please.

Curiad.

ANEURIN:　　Ti moyn mynd i X, yn dwyt ti?

RHYS:　　　　Odw.

DADA: Oh shame. Mae'r cabaret ar fin dechre.

ANEURIN: If you want to see bad make-up and miming, tro'r volume lawr ar 'Dechrau Canu, Dechrau Canmol'.

ANEURIN:
A thrwy'r drws â ni,
A'r drag queen
Yn rhochian ar ein holau

'Exit left the Three Muskequeers . . .
Come on boys –
Let's 'ave a go on your swords!'

Cyn llabuddio

DADA: (*Yn canu*) 'I am what I am!'

Curiad.

ANEURIN:
But now it's time to forget who we are . . .

Mae Aneurin yn cymryd Ecstasy.
Mae curiadau Techno'n cynyddu.

5

Club X, Charles Street.

ANEURIN:
Lawr y grisie
I dywyllwch.
Mae'n dywyll yma.
Cancr ein rhywioldeb:
The ghost of lovers past.
Salwch meddwl lle bu saliva;
Wellwn ni fyth o'r feirws.
Munudau gwag,
Oriau o euogrwydd,
A diafoliaid y duwch yn dawnsio.
Pob cornel yn adrodd stori:
Of bankers, and sportsmen, and benefit thieves.
In here
Sex, not death,
Is the great leveller.
We are all but wankers,
This is the democracy of dicking around:
This is our 'poetics of promiscuity'.

Gofod gwag
Where the dark room used to be.
Gofod gwag a'r gwacter yn tyfu.

Goleuade llachar
Yn wincian Morse code:
SAVE OUR SOULS!
Ha, ha,
You stupid fuckers,

We've SOLD OUR SOULS:
Punt y peint ac
Enaid am E.
Mae pob Alice 'di byta'i chacen
And the house is about to explode.

GARETH: I love you, Rhys! I love you, Rhys!

ANEURIN:
Spaniel cariadus
Yn rhuthro i gynnig ei foliant.

GARETH: I love you, I love you, I love you!

ANEURIN:
Yn gi o dafod
Yn llyfu am faddeuant.
The lolloping, loveable . . .

RHYS: Gareth, ti'n hanging!

ANEURIN:
A channwyll ei lygaid yn wenfflam:
Ffowc o goelcerth,
Dwy seren o serotonin.

GARETH: I love you! I love you! I love you!

RHYS: Wrth gwrs dy fod di. You're high as a kite.
Nawr cer nôl i gyrato ar y podium. The
BelAmi boy looks like he's missing you.

GARETH: Fi'n lyfo ti, Rhys!

RHYS: Gwed 'na wrthai pan ti'n sobor.

GARETH:	Fi yn.
RHYS:	Cer.
GARETH:	Rhys!
RHYS:	You're sweating all over me. Cer.

ANEURIN:
Ac mae Gareth
Yn dychwelyd i'r dance floor
I ddawnsio ei ofid yn chwys.

Curiad.

RHYS:	Paid â dweud dim byd.
ANEURIN:	Wedes i ddim.
RHYS:	Ti moyn, though.
ANEURIN:	Odw i?
RHYS:	Wyt.
ANEURIN:	Be' ti'n feddwl 'wi moyn dweud?
RHYS:	Bo' fi'n anheg, yn afresymol ac yn hen fitch bossy.
ANEURIN:	Now, why would I want to go and say a thing like that?

Curiad.

ANEURIN: It's 'cause you're turning thirty.

RHYS: Beth ma' hwnna i neud 'da fe.

ANEURIN: Ti'n paranoid.

RHYS: Na. Fi'n realist.

Mae ffôn Aneurin yn dirgrynu.

ANEURIN: Oh for fuck's sake.

Mae'n ei dynnu o'i boced i weld yn union pwy sy'n galw. Yna mae'n ei roi yn ôl heb ei ateb.

RHYS: Pwy yw hwnna?

ANEURIN: Ga'd hi . . .

Curiad.

RHYS: Beth sy'n mynd 'mlaen?

ANEURIN: It's fine. Ga'd hi.

Curiad.

'Out there', Rhys Thomas, 'out there, it's their time; in here, in here it's our time'.

RHYS: Have you just misquoted *The Goonies*?

ANEURIN: Totally.

Dada'n ymddangos.

DADA: Co fi!

ANEURIN: Ti'n OK?

DADA: Odw! 'Wi newydd ga'l pi-pi drws nesa i un o'r gorillas. Y capten.

RHYS: King . . .

DADA: . . . Dong, ie!

RHYS: Pam s'o nhw'n aros ar batchyn eu hunen?

ANEURIN: Wedes di helo?

DADA: Na . . . jyst shiglo llaw. Cyn i fe ca'l cyfle i olchi'i ddwylo!

ANEURIN: Dada!

RHYS: Chi moyn dawnso?

ANEURIN: Odw. I'm coming up. Dada?

DADA: Be'?

ANEURIN: Dance floor?

DADA: Ie.

Mae curiadau Techno'n cynyddu.

ANEURIN:
'Ie' fach ac mae'r frwydr yn cychwyn.
'Ie' fach ac ymlaen â ni i'r gâd.

Un sgwâr fach o dir gwastad:
Tirwedd ein mebyd,
Haen o Smirnoff Ice
Yn sugno ein sodlau,
Wrth i ryfel y ddawns gydio.
Because sometimes, damn it, it is.
It's war.
Survival of the fucking fittest.
Between the Straights and the Gays,
the Jocks and the Geeks,
the Bears, the Cubs and the Chasers,
the BelAmi Twinks and the Triga Chavs,
the Butch Dykes and the Lipstick Femmes,
the Spice Girls and the Spice Boys,
the Emos and Goths and
the Queens, the Welshies a fi.

Fi.
Achos heno,
Heno, hen blant bach,
Fi yw'r fucking fittest!

It's in my blood.
It's in my genes.
What's in your genes?
What's in your jeans?
Come on boys!

Pennau i lawr a . . .
Cloi!
Breichiau'n . . .
Cloi!
Scrum yn granc o gnawd
Yn symud yn
Igam-ogam,

O gam, i gam,
O gam, igam-ogam.
Beat.
Curo?
Curiad.
Curiad ein cariad,
Un cranc mawreddog o gariad.
Nid brwydr yw hon mwyach
Ond cymundeb ein brawdoliaeth.

A co fe'n dod:
The final push,
Yes, yes . . .
YES!

Mae'r curiadau Techno'n cyrraedd uchafbwynt.

And we're off,
We're going for it,
The multiple beats of our maswedd:
Mwy, mwy, mwy,
Ymlaen, ymlaen, ymlaen.
Dwylo'n ymestyn i'r awyr yn crafangu am atebion –
Ein gweddïau seciwlar anweledig.
Tonight we are Gods!
Pob un ohonom,
Pob un wan jac.
Pob un wanker.

Yn un anadl,
We take a breather.
Mae'r miwsig yn suo ein seibiant.

Mae yna elfen o ffantasi i'r cyfnewid yma.

GAVIN:	Helo.
DADA:	Fi?
GAVIN:	Ie. Ti!
DADA:	Helo.
GAVIN:	Ti yw ffrind Mr Thomas, nag ife?
DADA:	Ie. A chi yw Thelma. Lle mae Louise?
GAVIN:	A'th hi off gyda Brad Pitt. Dwi'n hoffi feather boa ti.
DADA:	Wel diolch.

ANEURIN:
Hanner amser.
Ond gêm o ddwy hanner fydd hon.

Mae'r golau'n newid.

DADA:	A 'na le o'n i 'da Lorraine Kelly ar un fraich a Barbara Windsor ar y llall yn canu *Brown Girl in the Ring* i Floella Benjamin. Jiw, gethon ni sbort. Ydych chi'n lico musicals?
GAVIN:	Caru nhw. *Moulin Rouge* yw favourite movie fi.
DADA:	Jiw, jiw – a fi. Nid sioe gerdd draddodiadol wrth gwrs ond eithafol yn yr un modd. (*Yn canu*) 'Come what may! Come what may'.

Wyddoch chi mai dyna yw hoff gân karaoke Mr Thomas? Mae wedi ennill sawl tro gyda honno.

GAVIN: Mae Mr Thomas yn canu?

DADA: O, odi. Just fel Barbara Streisand, heb y trwyn.

GAVIN: 'Sen i'n lyfo gweld hwnna: Mr Thomas yn canu'r best song o *Moulin Rouge.*

DADA: Falle bod nhw'n sporty ond ma' Australians hefyd yn gw'bod shwt ma' bod yn camp. *Muriel's Wedding* – 'na chi glasur!

GAVIN: A Kylie Minogue!

DADA: A Kylie Minogue, yn union. A ma' 'da hi waed Cymraeg.

GAVIN: Ie ond s'o Cymru mor dda am neud camp.

DADA: Good God, odi: Jenny Ogwen, Heulwen Hâf . . . mae'n siŵr ma'r Cymry a'th â camp i wlad yr Aborigini 'da'r convicts.

GAVIN: Jenny who?

DADA: Dim ots.

GAVIN: Fi'n hoffi camp.

DADA: Alla'i weld 'ny.

GAVIN:	A fi'n hoffi musicals. (*Yn canu*) 'I will love you until my dying day'!
DADA:	'Na lais pert sy' 'da chi! Musicals o'n i'n arfer neud. 'Nes i rannu llwyfan 'da Elaine Page.
GAVIN:	Serious?
DADA:	Do, *Cats*. Am flwyddyn gyfan 'nes i fewian yn bwsi bach yn gyfeiliant i'w Grizabella.
GAVIN:	O't ti yn *Cats*? Ma' hwnna'n amazing. Fi'n caru *Cats*. Pan fi'n marw fi moyn Elaine Page yn canu *Memory* pan fi'n cael fy cremato. Bydd e'n really touching fi'n meddwl.

Curiad.

GAVIN:	Beth ti moyn pan ti'n cael dy cremato?
DADA:	*Wonderwoman.*

Saib.

DADA:	Neu *O'r Fan Acw*, Margaret Williams. Always gets me.

Curiad.

GAVIN:	Beth arall ti wedi bod yn?
DADA:	Wel bues i yn *Starlight Express* am wythnos ond ges i hernia. Sa'i 'di bod ar rollerskates ers 'ny. Dwi'n ei chael hi'n anodd gwylio *Dancing on Ice* . . . flashbacks. Ond y peth

59

gore o'dd *West Side Story*. Fues i'n Jet
wyddoch chi.

GAVIN: You're joking! Pan o'n i'n fach o'n i'n like
totally ffansïo pawb o' nhw, Jets a Sharks, a
methu penderfynu pwy oedd favourite fi.

DADA: Cariad, what do you think press night is for?
Try them all!

Mae Gavin yn chwerthin.

GAVIN: Ti'n funny.

DADA: Chi'n annwyl. Ewch chi'n bell.

GAVIN: Pam ti'n galw fi'n 'chi'?

DADA: Dwi'n eich parchu chi.

GAVIN: Ond chi'n much older na fi.

DADA: Dim ond mewn oedran, darling boy. Dwi'n
ifanc fy ysbryd.

GAVIN: Ti eisiau cael sex gyda fi?

DADA: Good God, nagw. Dwi'n ddigon hen i fod yn
dad i chi.

GAVIN: Fi'n lico chi'n galw fi'n 'chi'! Fi'n teimlo'n
posh. The other day, es i mewn i Burger King
a wedodd y fenyw 'What can I get you, sir?'
Sir! Yn Burger King! As if I were the friggin'

king! Fi byth 'di cael fy galw'n 'sir' before. Neu 'chi'. Fi'n lico fe. Respect, man!

DADA: Yn union.

GAVIN: Mae fel bod ni'n byw yn y 1920s neu rhywbeth.

DADA: Hoffech chi ddiod, syr?

GAVIN: Ie plîs . . . Hoff . . . af?

DADA: Wel fe gewch â chroeso? Lager?

GAVIN: WKD Blue? Mae'n meddwi ti, fel 'na (*yn clicio'i fysedd*).

DADA: Na Gavin, ry'ch chi'n rhy ddiwylliedig i fwynhau diod sy'n staenio'ch dannedd yn las.

GAVIN: Ydw i?

DADA: Ydych.

GAVIN: Ok, um . . . martini? Neu gin a . . . thonic?

DADA: Www, da Gavin. Treiglad llaes penigamp.

GAVIN: Mae Cymraeg yn weird, nagyw e? Much as I like the 'ti's and 'chi's and all that, mae jyst yn neud pethau'n complicated. It just gets in the way. Nagwyt ti'n meddwl?

DADA: Mae parch yn bwysig.

GAVIN: Ie ond mae'n like bod e'n rhoi airs and graces i pobol who don't deserve it, fel. Like half the teachers in my school are wankers. Why should they be 'chi'? Not Mr Thomas, wrth gwrs, mae fe'n brilliant, he's a total 'chi', but there's other ones sy' ddim, a fi'n pissed off bod fi'n gorfod rhoi respect i nhw, specially pan mae nhw'n fforso ti i neud. So then I don't want to play by their rules. If pawb was 'ti' falle bydd mwy o pobol yn siarad e.

DADA: Chi'n hen gommunist bach, yn dy'chi?

GAVIN: Ond mae'n piso fi off, fel. Like pam mae'n rhaid i pob gair bod yn benywaidd neu gwrywaidd? Mae'n sexist.

DADA: Ma' rhai yn gallu bod yn fenywaidd ac yn wrywaidd, Gavin.

GAVIN: Really?

DADA: Really.

GAVIN: Mae Cymraeg yn queer?

DADA: Yn gallu bod.

GAVIN: Wicked.

GAVIN: Ond beth am y gair 'gay' yn Cymraeg . . . gwrw . . . gwrw-thingy?

DADA: . . . gydiwr. Gwrwgydiwr.

GAVIN: Ie, that's it. Gwrwgydiwr! Man-gripper. What's that about? Makes me sound like a JCB.

DADA: Beth am hoyw?

GAVIN: That's equally shit.

DADA: Pam?

Curiad.

GAVIN: Mae'n soundo'n gay.

Curiad.

GAVIN: Beth yw'r gair Cymraeg am camp?

Curiad.

DADA: Derek Brockway?

GAVIN: No wonder fi'n confused.

ANEURIN:
Ac o bell,
Dwi'n arolygu'r olygfa.
Dacw Dada,
Lawr ar y soffa,
Yn ymofyn am noddfa anaddas
Yr ieuainc wrth yr hen.

Mae Dada'n dychwelyd at Gavin â dau gin a thonic.

DADA: Co chi.

GAVIN: Diolch. Ooh, umbrella and everything.

DADA: Wrth gwrs.

GAVIN: (*Yn canu*) 'I'm singin' in the rain, just singin'
               in the rain'!

GAVIN/   (*Yn canu gyda'i gilydd*)
DADA: 'What a glorious feeling, I'm happy again' . . .

GAVIN: Ok. Gene Kelly neu . . . Fred Astaire?

DADA: Gene Kelly, bob tro.

GAVIN: Pam?

DADA: Dannedd gwell. Ac ma' unrhyw un sy'n gallu
               dawnsio fel 'na pan fo'r ffliw arnyn nhw yn
               haeddu moliant i'r eithaf. Pan wi'n ca'l y ffliw
               mae'n struggle i fi ddeialu 'This Morning'.

GAVIN: Apparently he worked Debbie Reynolds so
               hard, her feet bled.

DADA: Pwy, Phillip Schofield?

GAVIN: Gene Kelly. Naeth e i hi ymarfer nes bod
               traed hi'n gwaedu.

DADA: Diar me. Too much information i Dada.
               Fyddwch chi'n ypseto fe.

Curiad.

GAVIN: Pam ma' nhw'n galw ti'n Dada?

DADA: Achos dwi'n hen.

GAVIN: Na ti ddim. Pwy mor hen wyt ti?

DADA: Pa fath o gwestiwn yw hwnna i ofyn i lady?

GAVIN: Go on.

Curiad.

DADA: Pedwar deg naw.

GAVIN: Bloody hell. Ti *yn* digon hen i fod yn dad fi.

DADA: Charming.

GAVIN: Ond ti'n edrych yn good, though. Beth yw secret ti?

DADA: *Oil of Olay.*

GAVIN: Serious?

DADA: Serious. And I drink my own pee.

GAVIN: SHUT UP!

DADA: Dwi'n jocan, Gavin bach.

GAVIN: O, reit.

Saib.

GAVIN: Falle bod ti'r un age ond ti ddim yn cock though.

DADA: Pardwn?

GAVIN: Dad fi. Oedd e'n right knob-end.

DADA: Iaith, Gavin.

GAVIN: Sori. Pen pidyn oedd fy Dad.

DADA: Nage, Gavin. Sdim isie'r fath iaith frwnt.

GAVIN: Ond oedd e! Oedd e'n right pen pidyn.

DADA: Falle o'dd e . . .

GAVIN: Fucking bully.

DADA: Ond y'ch chi'n fonheddwr, a dyw
           bonheddwyr ddim yn rhegi.

Curiad.

GAVIN: Sai'n bonheddwr.

DADA: Ydych. Ma' nhw 'di dweud, yn Burger
           King.

Curiad.

GAVIN: Ie. Fi yn! Fi'n bonheddwr.

Curiad.

GAVIN: Dad fi yw'r knob-end.

Curiad.

GAVIN: Sori.

Curiad.

GAVIN: So how come ti'n edrych mor ifanc? Botox?

DADA: Botox?! Who needs botox when you've got disco. Mae'n cadw fi'n ifanc. Mae'r ifanc yn fy nghadw i'n ifanc. A'r ddinas.

GAVIN: Fi moyn mynd i Llunden.

DADA: Cerwch, fyddwch chi wrth eich bodd.

GAVIN: So pam des di nôl 'te?

Curiad.

DADA: O'dd Mam yn dost.

GAVIN: Yw hi'n OK nawr?

DADA: Na, mae 'di marw.

GAVIN: Fi'n sori.

DADA: Jiw, jiw, ma' sbel ers 'ny.

GAVIN: Ond mae dal yn sad.

DADA: Odi, mae dal yn sad.

Saib.

GAVIN: Ti'n colli Llundain?

DADA: Ddim o gwbwl. O'dd hi'n amser gadel. 'All good things must come to an end'.

GAVIN: So what is there after all good things come to an end?

Curiad.

DADA: Caerdydd.

GAVIN: How depressing.

DADA: O na, Gavin bach. There's no place like . . .

Mae Rhys a Gareth mewn rhan arall o'r clwb.

GARETH: Home?

RHYS: Glywes di fi.

GARETH: It's not time yet.

RHYS: Odi ma' fe.

GARETH: Duncan's having a party.

RHYS: Wel cer i hwnna, a a' i gytre'.

GARETH: Come with me.

RHYS: Gareth, I don't like them. They're pricks.

GARETH: Just for a bit.

RHYS: Wel os ti jyst moyn mynd am bit, 'run man i ni fynd gytre'. Gareth, stop gurning.

GARETH: I'm not gurning.

RHYS: Yes, you are. You're champing at the bit.

GARETH: Please. Dere.

RHYS: You only want their drugs.

GARETH: You weren't complaining earlier.

RHYS: That was before your face contracted Parkinsons.

GARETH: I'm off then. I'll see you tomorrow.

RHYS: Fine.

GARETH: Fine.

RHYS: Fine.

GARETH: Fine.

Curiad.

GARETH: Please. Dere.

Saib.

RHYS: Fine.

Mae Aneurin ar y balconi.

ANEURIN:
Dacw Dada'n dŵad
Dros ben y Gavin wen.
Rhys bach yn pregethu
A'r piss 'di mynd i'w ben.

Yr ieuainc wrth yr hen,
A melltith ar fy ngwefus.

Mae Dada, wedi'i wisgo fel Margaret Williams, yn ymddangos.

Oh my God,
I think that's my mother climbing out of the cigarette machine.
I'm fucked.

> *– Hia Mami,*

> *– Ti'n OK?*

> *– Just look at what your little boy's up to.*

> *– He's looking for cock.*

And her tears fall like loose change.

Mae Dada'n canu pennill a chytgan olaf **O'r Fan Acw (From a Distance).**
Mae'r gerddoriaeth yn parhau'n dyner. Mae'n cymryd sigarét ac yn cynnig un i Aneurin.

Sigarét?

ANEURIN: S'o ni'n ca'l smoco mewn fan hyn.

MAM: 'Na drueni.

ANEURIN: Mami, s'o ti'n lico smoco.

MAM: Ond mae'n special occasion. Yndyw hi?

Mae Rhys yn ymuno ag Aneurin ar y balconi.

RHYS: Aneurin? Aneurin?

Mae Aneurin yn chwerthin.

RHYS: Beth? Aneurin?

ANEURIN: Oh my God, I'm tripping.

RHYS: (*Gan ddynwared* Mama Fratelli *o ffilm y* Goonies) Come to Mama.

ANEURIN: Aww . . . (*gan ddynwared* Sloth) Mama!

RHYS: (*Heb ddynwared*) Mae Mama'n gorfod gad'el.

ANEURIN: (*Gan ddynwared* Sloth) Mama! No! Pam?

RHYS: Gareth moyn mynd i after-party Duncan. Ma' isie cadw llygad arno fe.

ANEURIN: Ma' isie cadw llygad arna i.

RHYS: Dere 'da ni . . .

ANEURIN: Na, peidiwch mynd!

RHYS: (*Gan ddynwared eto*) Aww, nawr, nawr, Slothi bach. (*Yn canu*)

'Rock a bye baby on the tree top
When the wind blows the cradle will' . . .

ANEURIN: (*Yn canu*)
'Rhaid gwisgo cot,
Rhaid gwisgo het
Rhaid rhoddi maneg ar bob llaw' . . .

Ti'n cofio?

RHYS: (*Yn canu*)
'Dweud dabo i'n hysgol ni
A dweud helo wrth mami'.

ANEURIN/
RHYS: (*Y ddau yn canu*)
'Helo, helo
A dweud helo wrth mami'.

Curiad.

ANEURIN: I've just seen my mother.

RHYS: Ble?

ANEURIN: Dath hi mas o'r cigarette machine yn canu
O'r Fan Acw.

Curiad.

ANEURIN: Gynigodd hi Marlborough Light i fi. O'dd
e'n beautiful.

RHYS: Cariad.

Saib.

ANEURIN: Do you think they can smell it on me?

RHYS: Pwy?

ANEURIN: Sometimes I think I don't sweat pheremones. I just excrete all those little pieces of men that I have ever loved. And everyone can smell it, it puts people off.

RHYS: Paid bod yn soft. 'Na'r peth mwyaf stupid 'wi erio'd 'di glywed.

ANEURIN: Is it?

Curiad.

RHYS: Beth sy'n mynd 'mla'n?

ANEURIN: Dim.

RHYS: Liar.

Saib.

RHYS: Dere nôl.

ANEURIN: 'Wi moyn aros 'ma.

RHYS: Na, i Gymru. For good.

ANEURIN: Sa'i moyn.

RHYS: Ti 'di bod yn tempo am dair blynedd.

ANEURIN: 'Wi di bod yn sgwennu am dair blynedd.

RHYS: Alle ti 'di neud 'ny fan hyn.

ANEURIN: No I couldn't. I fucking hate Cardiff.

Mae Gareth yn ymuno â nhw.

GARETH: How are we?

ANEURIN: Brilliant. Never been better.

Curiad.

RHYS: Gareth, ti'n meindio os aroson ni am dym'
                bach . . .

ANEURIN: And cramp my style? 'Scuse me Mr Thomas
                but I want to be naked by the end of the
                night.

RHYS: 'Se fe'n ddim byd fi heb weld o'r bla'n.

ANEURIN: Oh it would be – 'wi 'di dysgu cwpwl o bethe
                ers o'n i'n bymtheg.

GARETH: (*Dim malais*) Like how to avoid premature
                ejaculation perhaps?

ANEURIN: Cheeky. That wasn't premature ejaculation –
                that was your vigorous boyfriend!

RHYS: Yes, but we were on the school bus. You
                could have told me in time!

GARETH: Euuugh!

ANEURIN: A Erfyl Clements, poor dab, what he must have thought when he put on his parka.

GARETH: Oh my God, you ming.

ANEURIN: Boy's got to do what a boy's got to do. Talking of which, go on, cerwch!

RHYS: Sa'i moyn gad'el ti.

ANEURIN: 'Wi'n fine.

RHYS: S'o ti'n fine. He's hallucinating, Gareth.

GARETH: What you seeing?

ANEURIN: Miracles. Go, please, go.

RHYS: Ti'n siŵr ti'n OK?

ANEURIN: Oh God, ydw. The night is but young!

RHYS: Wnawn ni gysgu yn fflat Dada as planned, though. Wnai frecwast i ni gyd.

ANEURIN: I might not come home.

GARETH: Well make sure you come round for breakfast 'cause I'll want a full report.

ANEURIN: What if I'm in the arms of a handsome stranger?

GARETH: I'll eat your sausage.

RHYS: Right, come on Gareth Lloyd. Ta-ra
             cariad.

ANEURIN: Ta-ra twat.

Gareth a Rhys yn gadael.

ANEURIN:
So this is it:
Isn't he sexy!
Isn't he clever!
Isn't he wonderful!
I'm a coked up cock.
My genes are leading me ar gyfeiliorn.
Dwi'n barod am gyflafan.

Mae Dada a Gavin mewn rhan arall o'r clwb.

GAVIN: Wel sai'n surprised 'nes di adel.

DADA: Dim dewis nethon ni, o'dd rhaid i ni adel.
             Does dim byd yn bod 'da tai cyngor, Gavin.

GAVIN: Yes but you deserve better. I deserve better.

DADA: Pwy sy'n dweud?

GAVIN: Fi. I'm made for great things. I'm going to
             where the streets are paved with gold!

DADA: Peidiwch â chael eich denu gan y palmant
             aur. Ma' gymaint o bobol yn mynd 'na am yr

un reswm mae'n bur debyg welwch chi ddim
mohoni: gormod o draed.

Curiad.

Chi'n gweld, Gavin, yn y bôn yn y Billy
Banks o'n i hapusa. Gadel fynna o'dd
dechrau'r diwedd i Mami. A chi'n gw'bod
beth sy'n neud fi'n fwy crac? Alle hi 'di aros
'na. S'o nhw 'di neud dim byd 'da'r lle. A
nawr mae'r holl le 'di sbwylo. Sdim byd ar ôl
ond blodau gwyllt a chwyn. Cofiwch chi, ma'
'na bedwar teulu bach wedi gwrthod symud.
Real pen-tost i'r cyngor.

GAVIN: Dyle chi 'di gwrthod symud 'fyd 'te!

DADA: Dreion ni, Gavin bach, ond do'dd dim dewis.
Nid ni o'dd berchen y fflat. Billy Banks *vs.*
Penarth Heights: Dafydd yn erbyn Goliath.

GAVIN: Mae fel y Golden yn erbyn John Lewis, yn
dyw e? Mae'n edrych mor funny next door i
fe. Like a runt.

DADA: Yn union. Ch'wel – llathen o'r un brethyn y'n
ni i gyd really. (*Yn canu*)
'Ry'n ni yma o hyd,
Ry'n ni yma o hyd!'

GAVIN: Dafydd Iwan?

DADA: Da iawn, Gavin!

GAVIN: Dafydd Iwan sucks.

77

Curiad.

GAVIN: Beth fi ddim yn deall yw pam mae nhw moyn aros yna? With the blodau gwyllt?

DADA: The best views in Cardiff.

GAVIN: Dim o'r outside mae e ddim.

DADA: O Gavin bach, os ots beth sydd ar y tu fas pan o'r tu fewn mae'r byd yn edrych yn brydferth?

Mae Aneurin yn ymuno â nhw.

ANEURIN: Co fi!

DADA: The wanderer returns! Lle ti 'di bod?

ANEURIN: Cruising.

DADA: Unrhyw sailors?

ANEURIN: Digon.

DADA: Ti'n cofio Gavin?

ANEURIN: Shwt allen i anghofio Gavin?

GAVIN: Haia.

ANEURIN: Hello sailor . . .

DADA: S'o fe'n ddigon hen i fod yn sailor.

ANEURIN:	How about a cabin boy?
GAVIN:	I don't like the sea.
ANEURIN:	But think of the fun we would have hunting together.
GAVIN:	Hunting?
ANEURIN:	Moby.
GAVIN:	Moby?
ANEURIN:	Dick.

Curiad.

DADA:	Hoffech chi ddrink arall, Gavin? Fennoch chi hwnna'n gloi . . .
ANEURIN:	And seamen.
DADA:	Na ddigon, Aneurin.
GAVIN:	Ti'n gross.
ANEURIN:	'Na beth ma' profiad yn neud i ti . . . a oedran.

Curiad.

ANEURIN:	That's why Dada's filthy.
DADA:	Woah!
ANEURIN:	Jôc fach, Dada. Ti'n dod 'ma'n aml 'te, Gavin?

79

GAVIN: Twice a month, fel. Does dim byd yn Barry. Fel arfer fi just yn mynd i Wow a Pulse.

ANEURIN: Tro nesa ddei di lawr a'i â ti i *Come to Daddy*.

GAVIN: *Come to Daddy*?!

ANEURIN: They would *love* you there!

GAVIN: Beth yw hwnna?

ANEURIN: 'A night for Bears and their admirers'. Ti'n ormod o Twink i fod yn Cub but you could be a Chaser.

GAVIN: Sai'n really hoffi Bears.

ANEURIN: 'Sen i ddim chwaith 'sen i'n byw fan hyn. Yn Llunden, Bears are real Bears: beefy, hairy, sexy. Yn Nghaerdydd, Bears are just men who've let themselves go.

GAVIN: Sa'i 'di bod i Llunden 'to.

ANEURIN: Na le 'wi'n byw.

GAVIN: Wow. Cool. Beth ti'n gwneud?

DADA: Tempo.

ANEURIN: Sgwennu llyfr.

GAVIN: Really?! Sa'i 'di cwrdd gyda real live author o'r blaen. Beth mae llyfr ti am?

ANEURIN: O, dim byd sbesial: time travel, one night stands, hen fyddin Gymraeg yn llawn cwplau hoyw.

GAVIN: Serious?!

ANEURIN: Serious. O' nhw'n fwy ffyrning nag unrhyw fyddin arall because they fought for their . . . (*yn anwesu'r gair gyda'i dafod*) lovers.

GAVIN: Wow. How sexy is that!

ANEURIN: Very.

DADA: Dyw rhyfel ddim yn sexy.

GAVIN: Mae soldiers yn.

ANEURIN: With shiny great swords!

GAVIN: And gorgeous bodies!

DADA: Often attached to no head.

ANEURIN: Who needs a head when you've got an arse.

DADA: 'Na hen ddigon, Aneurin.

GAVIN: Ti *yn* gross.

ANEURIN: You love it really. I think we're quite a match.

DADA: Pwy sydd isie diod?

ANEURIN: 'Wi'n iawn diolch.

DADA: Gavin? Ginsen arall.

ANEURIN: Beth ti'n treial neud Dada, get the boy pissed?

GAVIN: Sai'n pissed. Fi'n gallu dal drink fi.

DADA: Gwnewch ffafr i Dada, os rhoia'i arian i chi, wnewch chi fynd i'r bar?

ANEURIN: A' i. Ga' i hwn.

DADA: 'Wi'n siŵr neith Gavin . . .

ANEURIN: A' i.

DADA: Fine. Cer di.

ANEURIN: Beth ti moyn?

Curiad.

ANEURIN: Chaser?

Curiad.

DADA: Actually, ti'n gw'bod be'? Dwi wedi blino. 'Wi'n credu a'i gytre'.

GAVIN: Paid mynd adre'.

DADA: It's past Dada's bedtime.

GAVIN: It's past my bedtime!

DADA: Yn union, Gavin. Mi oedd hi'n bleser pur ca'l cwrdd â chi. R'ych chi'n ddyn bonheddig ac yn gredit i'ch mam. Aneurin, fydd yr allwedd yn y lle arferol. Nos da.

ANEURIN: Paid mynd, Dada. Sori.

GAVIN: Chi 'di arguo?

DADA: Naddo, Gavin.

GAVIN: Pam ti'n gweud sori?

DADA: Ma' Aneurin yn aml yn dweud sori. Nos da, Gavin.

Mae Dada'n gadael.

GAVIN: Sai'n deall.

ANEURIN: He's just pissed.

GAVIN: O ti'n windo fe lan, nagot ti?

ANEURIN: Nagon.

GAVIN: Pam ti'n windo ffrindiau ti lan?

Curiad.

ANEURIN: Shut up and dance with me.

6

Tŷ Duncan Colefield.
Mae Gareth a Rhys yn cyrraedd.

TERRY:	Gar!
GARETH:	Terr!
TERRY:	And Rudolph!
RHYS:	Wedes i.
GARETH:	Don't call him Rudolph, Terr.
TERRY:	Rhys!
RHYS:	(*Yn wawdlyd*) Terr!
GARETH:	(*Yn ceryddu*) Rhys . . .

Daw Duncan i mewn.

DUNCAN:	Gar!
GARETH:	Dunc!
DUNCAN:	Rudolph!
RHYS:	(*Yn yr un cywair*) Twat!
DUNCAN:	What d'you say?

GARETH: Don't call him Rudolph, Dunc. He's sensitive.

RHYS: I'm not sensitive. I'm nearly thirty. Gareth, ni'n mynd.

GARETH: We're not going, we've only just got here.

DUNCAN: Come on, mate, I was only joking. I can be sensitive too.

TERRY: That's 'cause you're circumcised.

DUNCAN: Fuck off.

GARETH: You Jewish?

DUNCAN: Do I look Jewish?

RHYS: Well, now that you mention it, ma' 'na debygrwydd rhwng ti a Anne Frank.

DUNCAN: Who's Frank?

Mae pawb yn chwerthin.

DUNCAN: Who's fucking Frank? Don't speak that fucking Welsh shit. Who's fucking Frank?

TERRY: It's alright Dunc – have a tequila.

ANEURIN:
Tequilas yn tywallt.
Elicsir alcohol
Yn gwasgaru'r sgyrnygu.
Dau dîm yn un am ennyd.

Club X.

GAVIN: Aneurin?

ANEURIN: Ie?

GAVIN: Ble ti wedi bod? Ti'n totally zono mas, fel.

ANEURIN: Dunno. I was away with the fairies.

Curiad.

ANEURIN: Ti moyn dod nôl 'da fi, Gavin?

GAVIN: Ie. Ie, bydd hwnna'n cŵl.

Charles Street.
A minnau a Gavin yn esgyn o uffern
I nefoedd y stryd.
Duwiau ac angylion
Yn chwilio am adennydd.
Llygaid gwydrog
Yn ysu am adlewyrchiad,
Unrhyw fath o adlewyrchiad,
Rhyw fymryn o adlais:
Plîs, plîs, plîs
Gwêl fi, gwêl fi;
Nid yr wyneb gorffwyll,
Ond yr enaid pur.
Gorffwylltra chwant
Mor amlwg yn y gofyn.

ANEURIN: OK?

GAVIN: Yeah.

ANEURIN:
Tacsi o wyrth
Fel seren yn y tywyllwch,

> *– You free, mate?*

Yn ein tywys,
Ni,
Y nefol rai,
Yn ôl i

> *– Celestia, cheers pal.*

Curiad.

ANEURIN: *– Ie, good. Cheers, mate.*

> *– Busy tonight?*

> *– Been out long?*

> *– Finishing late?*

> *– Didn't think we'd get a taxi.*

> *– Nah, I didn't watch it.*

> *– No I like Rugby. I just don't like Wales.*

Ac wrth i'r car wibio
Lawr Heol Bute i'r Bae,
Mae Gavin yn gafael:

Llaw yn lleddfu'r ing nas ynganwyd.
Bachgen
Yn dangos beth yw e,
I fod yn ddyn.

> – *Here's fine, drive.*

Fflat Dada, Celestia.

GAVIN: Wow! Ma'r lle 'ma'n lysh.

ANEURIN: Yndyw e?

GAVIN: Mae mor tidy. Mor . . .

ANEURIN: Kristian Digby?

GAVIN: Ond mae fe 'di marw, nagyw e?

ANEURIN: Cyn iddo farw.

GAVIN: Mae mor sad mae e wedi marw. O'dd e bob amser so well dressed.

ANEURIN: Ie, that plastic bag really suited him.

Curiad.

GAVIN: Imagine Mam a Dad e'n ffeindio mas sut naeth e marw.

ANEURIN: Let's have a drink. Ti isie drink?

Yn sydyn.

GAVIN: Oh my God, nath e ddim dweud fod e 'di cwrdd â Liza Minnelli.

ANEURIN: O, s'o hwnna'n ddim byd. Ma' llun o fe 'da Joan Collins yn y bathroom.

GAVIN: No way!

ANEURIN: A weda'i beth arall sy' 'da fe yn y bathroom – un o'r knitted ladies 'na yn sgwoto dros y bog roll yn cadw fe'n gynnes.

GAVIN: Posh!

ANEURIN: O ie. Dada's done very well for himself. Ddylet ti 'di weld lle o'dd e'n arfer byw.

GAVIN: Billy Banks?

ANEURIN: Shwt ti'n gw'bod ymbiti'r Billy Banks?

GAVIN: Wedodd e wrtha'i.

Curiad.

ANEURIN: Absolute hellhole but it has the most amazing view of Cardiff. Fel bod yn uffern yn edrych mas ar y nefodd.

GAVIN: O'dd Dada'n hoffi fe, nagodd e?

ANEURIN: O'dd. Dwli arno fe. Nath e ffws mawr yn gadel: ganodd e *Don't Cry For Me Argentina* a chaino'i hunan i'r railings. Terribly dramatic.

GAVIN: Wow.

ANEURIN: 'Na le fenno' ni lan y noson netho' ni gyd gwrdd. Wedodd e 'na wrthot ti?

GAVIN: Ie, a bod Mr Thomas wedi ennill karaoke competition yn y Golden yn canu'r song yna o *Moulin Rouge* a bod boyfriend e wedi cwympo mewn cariad gyda fe 'cause mae'n amazing yn canu.

ANEURIN: Ti 'di ca'l y life story?

GAVIN: Ie. Fi'n credu bod e more cute bod Geraint byth wedi bod allan ar y scene o'r blaen . . .

ANEURIN: Gareth.

GAVIN: . . . Ie, Gareth, a bod e wedi cwrdd gyda chi lot a bod Mr Thomas wedi canu favourite cân fi o *Moulin Rouge* a dyna beth oedd wedi gwneud Geraint . . .

ANEURIN: . . . Gareth.

GAVIN: Gareth yn gay.

Curiad.

ANEURIN: Ti'n nervous?

GAVIN: Na.

Curiad.

ANEURIN: Breathe.

GAVIN: OK.

Curiad.

ANEURIN: Y Billy Banks is where they first snogged. Nath Dada mynnu mynd â ni 'na achos o'dd hi'n ten year anniversary ers i fe gael ei dywlu mas. Ma' Gareth a Rhys yn dal yn mynd nôl 'na bob blwyddyn. Ma' nhw'n credu bod 'da'r lle mystical powers. Twats.

GAVIN: Mae fel the beginning of *Rent.*

ANEURIN: Rent?

GAVIN: Ie. Y musical. 'Forces are gathering' mae'r cân cyntaf yn dweud . . . Loads o bobol cool yn dod at ei gilydd ac yn . . .

ANEURIN: Marw o AIDS?

GAVIN: S'o nhw gyd yn marw o AIDS.

ANEURIN: Singing with too much vibrato?

GAVIN: S'o ti'n hoffi musicals?

ANEURIN: Na. They're ridiculous.

GAVIN: Life is ridiculous!

ANEURIN: Well don't make it worse by singing about it.

Curiad.

GAVIN: Ma' canu'n cool.

Saib.

ANEURIN: By the way, paid ti â galw e'n Dada. I don't think he'd like it. Dim ond ni sy'n galw e'n Dada.

GAVIN: Oh, OK.

Saib.

GAVIN: Mae Mr Thomas a Gareth eitha different yndyn nhw?

ANEURIN: Odyn.

GAVIN: But it works.

ANEURIN: Ambell waith.

GAVIN: Pwy mor hir mae nhw wedi bod together?

ANEURIN: Tair blynedd.

Curiad.

GAVIN: I can't believe this place!

ANEURIN: Indeed. I blame Elaine Page – she gave him ideas above his station.

GAVIN: Beth mae job fe?

ANEURIN: Singing teacher.

GAVIN: Really? Ti'n credu bydd e moyn rhoi gwersi i fi?

ANEURIN: Fi'n siŵr bydde fe moyn rhoi gwersi i ti.

Mae Aneurin yn estyn potel champagne a dau wydr.

Curiad.

GAVIN: Ydi hwn yn iawn?

ANEURIN: Beth?

GAVIN: Fi fan hyn.

ANEURIN: Wrth gwrs bod e. Dyw Dada byth yn meindo fi'n dod â pobol nôl.

GAVIN: Slag! A fi'n meddwl bod fi'n special.

ANEURIN: Mi wyt ti, Gavin bach. Mi wyt ti.

Mae Aneurin yn dangos y botel i Gavin.

Bollinger?

GAVIN: Oh my God! There's posh! Beth ni'n celebrato?

Curiad.

ANEURIN: Ti.

Mae'n tywallt dau gwydraid ac yn cynnig un i Gavin.

ANEURIN: Llwncdestun . . . i Gavin.

GAVIN: I fi.

ANEURIN: Good boy.

GAVIN: Wow. Ma' hwn yn blydi lysh. Ti'n spoilo fi.

ANEURIN: Wedes i dy fod ti'n special. Take a bump with me?

GAVIN: Bump?

ANEURIN: Of coke. 'Na gyd sy' 'da fi ar ôl.

GAVIN: Fydda'i off face fi!

ANEURIN: And what a beautiful face it is too. Co ti.

Maent yn cymryd 'bump' o cocaine.

GAVIN: Woah!

ANEURIN: Ie, woah . . . here we go . . .

Tŷ Duncan Colefield.
Curiadau Techno.

DUNCAN: Turn it up! I loves this tune.

GARETH: Me too.

TERRY: Me three.

DUNCAN: Pass the spliff.

RHYS: Gareth . . .

GARETH: Beth?

RHYS: Pass the spliff.

GARETH: Sorry. Yeah. Nice one.

TERRY: Let's get mashed!

Curiad.

TERRY: Rhys?

RHYS: Ie?

TERRY: Ti'n mashed?

RHYS: Sa'i 'di ca'l dim.

TERRY: Thought you were having a whitey. S'o ti'n dweud lot.

RHYS: 'Wi'n shy.

DUNCAN: Turn it up!

GARETH: You're *not* shy! Rhys is amazing, right. He's got the most stunning voice. I get goose bumps, don't I, Rhys? He's singing solo in this massive choir competition next Friday. He could have been professional but he wanted to be a teacher and not even in music. In Maths!

	Can you believe that? He's the cleverest person I know, serious. And all the kids love him.
DUNCAN:	Not too much, I hope. I've 'eard about them Welsh schools. Turn it up!
TERRY:	Ti'n dysgu Maths and all the kids love you?
GARETH:	Too right. Thirty-three kids are doing A-level this year – most ever.
TERRY:	Who'd want to do Maths?
RHYS:	Who'd want to play Rugby?
TERRY:	No offence, mate, but Maths isn't better than Rugby. Imagine scoring a try for your country in the Millennium Stadium.
RHYS:	If it wasn't for maths there wouldn't be a Millennium Stadium.
TERRY:	Alright, but I bet you like looking at those nice legs, eh? Those nice, firm, strong legs. You don't get *them* in maths.
RHYS:	Yes you do – Carol Vorderman.

Curiad.

DUNCAN:	Fancy Carol Vorderman do you?
RHYS:	No.

DUNCAN: How about you, Gareth?

GARETH: What?

DUNCAN: Carol Vorderman or Richard Whiteley?

RHYS: Gareth, gawn ni fynd?

GARETH: That's a stupid question.

TERRY: No it's not. If you had to shag one of them, who would you shag? Carol Vorderman or Richard Whiteley?

Mae Duncan yn dawnsio'n afreolus.

RHYS: Gareth, ni'n mynd.

DUNCAN: Come on, Gar, tell us. It's not that hard. Carol Vorderman's far hotter than Clare Riley and you screwed her.

RHYS: Ma' hwn yn blentynaidd. Come on, Gareth.

DUNCAN: Who's under the thumb then?

RHYS: Lle ma' dy got di?

TERRY: O ie? Rhys sy'n gwisgo'r trowsus ife? Didn't expect that . . .

RHYS: Be' ti'n feddwl wrth 'ny?

GARETH: He doesn't wear the trousers.

RHYS:	Be' ti'n feddwl wrth 'ny?
TERRY:	Just not what I expected.
GARETH:	He doesn't wear the trousers.
DUNCAN:	(*Gan glosio at Gareth*) Gareth and Carol sitting in a tree . . .
RHYS:	Get off him.
DUNCAN:	(*Yn esgus ei gusanu*) K-I-S-S-I-N-G.
RHYS:	I said get off 'im.
DUNCAN:	Don't speak to me like that, you poof.
GARETH:	He didn't mean it.
RHYS:	I bloody well did.
GARETH:	Cool 'ead now, Rhys.
RHYS:	Cool head? Glywes di beth alwodd e fi?
TERRY:	Woah, boys, 'na ddigon.
DUNCAN:	'Boys', that's debatable!
GARETH:	What's that supposed to mean, Duncan?
DUNCAN:	I wasn't talking about you, man. I loves you.

Mae Duncan yn cusanu Gareth ar ei wefusau'n chwareus.

RHYS: (*Yn ei wthio*) How many times do I have to tell you . . .

DUNCAN: Don't fucking touch me.

RHYS: You're the one kissing my boyfriend.

GARETH: Leave it, Dunc. He didn't mean it.

DUNCAN: You calling me a poof?

TERRY: Come on now, Dunc, no harm done.

DUNCAN: (*Yn gafael yn Rhys gyda gwir fygythiad*) Are you calling me a poof?

Saib.

DUNCAN: You're not even worth my fist, you cock.

Mae Duncan yn gollwng Rhys.

DUNCAN: Now fuck off out of my house.

Mae Rhys yn gadael. Mae Gareth yn dechrau ei ddilyn.

DUNCAN: Not you, Gar. You don't have to go.

Curiad.

GARETH: In answer to your question. Richard Whiteley. Every time. And he's actually dead, Duncan.

Mae Gareth yn gadael.

Fflat Dada, Celestia.

GAVIN: Seriously, right, ti yw un o'r pobol mwyaf
            cool fi wedi cwrdd.

ANEURIN: Ti'n rhy garedig.

GAVIN: Fi eisiau mynd i Llunden a stuff. Ti'n gwneud
            rhywbeth ti'n caru. Fi really eisiau gwneud
            work fi'n caru. Fi ddim eisiau bod fel Mam.
            Or at least, fi eisiau bod fel hi, ond yn
            gwneud work fi'n caru.

ANEURIN: A ti'n meddwl bod rhaid mynd i Lunden i
            neud 'na?

GAVIN: Well I'm hardly going to get on *Pobol y Cwm*
            am I, and every time anyone from our school
            tries adrodd yn y 'Steddfod we never get
            through the rhagbrofion. Dyw cynghanedd
            ddim yn soundo'n neis gyda Barry accent,
            apparently. Middle-class twats.

ANEURIN: Gavin, cam a gafodd.

GAVIN: Yw hwnnan'n cynghanedd?

ANEURIN: Ydi.

GAVIN: Wow. Ti *yn* cool.

ANEURIN: Na. I'm a middle-class twat.

Mae ffôn Aneurin yn dirgrynu.

ANEURIN: Oh just fuck off!

Mae Aneurin yn diffodd y ffôn.

GAVIN: Pwy oedd hwnna? Jealous boyfriend?

ANEURIN: Na, Dad.

GAVIN: Oh my God, ydi mam ti'n OK?

ANEURIN: Pam ti'n gofyn 'na?

GAVIN: Dada 'di dweud bod ti nôl achos . . .

ANEURIN: O'dd dim hawl 'da fe 'weud 'na wrthot ti.

GAVIN: Sori. Oh my God. Oh my God.

ANEURIN: Gavin. Mae'n fine. Honestly. Mae jyst yn
             ffono i weld lle odw i.

GAVIN: Ti eisiau mynd?

ANEURIN: Pam bydden i eisiau mynd?

GAVIN: Achos . . .

ANEURIN: Sdim point mynd.

GAVIN: Ond . . .

ANEURIN: Sdim point.

Curiad.

GAVIN:	Ti jyst yn bod yn really brave, yn dwyt ti? 'Se mam fi'n dost fel 'na, sai'n gw'bod beth bysen i'n neud.
ANEURIN:	Poppers?

Mae'n tynnu potel fechan o'i boced.

GAVIN:	Poppers?
ANEURIN:	Ti'n teimlo'n neis?
GAVIN:	Fi'n teimlo'n lysh.
ANEURIN:	Os ti moyn teimlo'n fwy lysh, have some of these.
GAVIN:	Beth mae'n neud i ti?
ANEURIN:	Neud ti'n horny.

Curiad.

GAVIN:	Ni'n like totally flirto nagyn ni?
ANEURIN:	Ydyn.

Maent yn arogli'r poppers. Mae'r effaith yn eu taro'n syth.

GAVIN:	(*Yn awchu am gusan*) O!

Curiad.

ANEURIN:	S'o ti di bod 'da bachgen o'r bla'n wyt ti?

GAVIN: Fi wedi.

ANEURIN: Liar.

GAVIN: Fi wedi.

ANEURIN: Ti ddim. Alla'i 'weud. I can smell your fear.

GAVIN: Fi wedi. I just haven't been with a man.

ANEURIN: A ti isie?

GAVIN: I'd like that very much.

Saib.

ANEURIN: Cult yw e beth bynnag,

GAVIN: What?

ANEURIN: Y 'Steddfod. Yr Urdd a pethe. Freaky cult yw e.

GAVIN: Cult?

ANEURIN: Seriosuly. I Gymry, i Gyd-ddyn, i Grist . . .

GAVIN: O, reit. Ie.

ANEURIN: . . . and there's that fucking weird triangle banner thing mae'r plant yn gorfod sefyll o dan tra bod nhw'n adrodd geiriau s'o nhw'n really ddeall ac yn esgus chwarae emosiwn s'o nhw'n really teimlo. I mean mae'r cystadleuthau adrodd 'na dan ddeg – they're the ugliest things I've ever seen. It's like watching robots having a spaz out. (*Yn dynwared*) Y Mwnci!

GAVIN: (*Yn dynwared*) Y Bwdgi!

ANEURIN: And that cerdd dant stuff. U-GLY! And all those parents, cheering for their offspring, their devil's spawn. It's just like a fascist rally.

Curiad.

ANEURIN: God. I'm bitter about something aren't I?

GAVIN: Ha, ha, wyt. Ges di cam yr yr Eisteddfod?

ANEURIN: Every bloody year. But that's got nothing to do with it.

Curiad.

GAVIN: Beth yw cult anyway?

ANEURIN: (*Wedi meddwl*) Rhywbeth sy'n neud sens o'r tu fewn ond ddim o'r tu fas.

Saib.

GAVIN: Mae pob iaith yn cult then.

ANEURIN: Ie, I suppose so.

GAVIN: Mr Urdd's got a lot to answer for.

Chwerthin.

ANEURIN: Ti'n bert pan ti'n werthin.

Curiad.

ANEURIN: Tri chynnig i Gymro.

GAVIN: Beth?

ANEURIN: Ma' 'da fi tym' bach o 'K'? I fennu'r noson.

GAVIN: 'K'?

ANEURIN: Special K?

GAVIN: Not my thing. Oes gyda ti Rice Krispies?

ANEURIN: Na, you fool, Ketamin.

GAVIN: Oh, oh right! Ie. God, stupid fi. Right. Ie. Um, sai di neud hwnna o'r blaen. Chanise wedi. Nagyw c'n horse tranquilizer neu rhywbeth? Hi'n dweud bod e'n cool though. Ie. 'Se hwnna'n cool. Just tipyn, though, I suppose.

ANEURIN: Falle ddylen ni ddim os nag 'yt ti 'di . . .

GAVIN: O na, bydd e'n fine. I've done everything else. Bydd tipyn bach yn fine.

ANEURIN: Sdim lot da fi ar ôl anyway.

GAVIN: Wicked.

Mae Aneurin a Gavin yn cymryd Ketamin.

ANEURIN: Alli di gadw cyfrinach?

GAVIN: Ie.

ANEURIN: Ti 'di clywed am gystadleuaeth y goron yn yr Eisteddfod?

GAVIN: Yr Urdd?

ANEURIN: Na'r Genedlaethol. Gwobr am ysgrifennu. 'Wi'n mynd i gystadlu.

GAVIN: Nofel ti?

ANEURIN: Na, cerdd sy'n ennill y goron. Dwi'n sgwennu cerdd.

GAVIN: Mewn cynghanedd?

ANERIN: Na. I hate cynghanedd.

GAVIN: Beth mae am?

ANEURIN: Gays.

GAVIN: Gays?!

ANEURIN: Ie. Fi, a Dada, a Gareth a Mr Thomas.

GAVIN: Ti wedi ysgrifennu poem am Mr Thomas yn bod yn gay. Mae hwnna'n hilarious! Ydi e'n rude?

ANEURIN: More cocks than you can shake an archdderwydd at.

GAVIN: Oh my God! Nagyn nhw'n becso? Bydd
Mr Thomas yn cael mewn so much trouble.

ANEURIN: Dyw Mr Thomas ddim yn gwybod.

GAVIN: Ond mae'n teacher. Beth sy'n digwydd os
mae'n ennill?

ANEURIN: S'o fe'n mynd i ennill, Gavin. They wouldn't
dare.

GAVIN: Fi moyn clywed peth!

ANEURIN: Llanc hardd,
Mor lân, mor loyw.
Diniwed heb gelwydd na chas:
'Greddf gŵr, oed gwas'.

GAVIN: Oh my God, mae hwnna'n brilliant. Ti'n so
going to win.

ANEURIN: It's not about winning, Gavin.

GAVIN: Beth mae am 'te?

ANEURIN: Revenge.

GAVIN: Ooh . . . scary.

ANEURIN: 'Wi yn scary.

GAVIN: Fel cult leader.

ANEURIN: 'Wi yn cult leader.

Curiad.

GAVIN:　　　　Lead me then.

Saib.

ANEURIN:　　You're a precocious little cunt, aren't you?

GAVIN:　　　　Beth mae 'precocious' yn meddwl?

Mae Aneurin yn syllu arno am ychydig cyn plygu ymlaen i'w gusanu. Mae cusanu amhrofiadol Gavin yn or-awchus. Mae Aneurin yn tynnu nôl.

ANEURIN:　　Dwylo lan.

Mae Gavin yn gwneud ac mae Aneurin yn tynnu ei grys dros ei ben.

ANEURIN:　　Dwylo lawr.

Mae Gavin yn gwneud.

7

Stryd yn yr Waun Ddyfal.

GARETH: Woah, slow down, Rhys.

Curiad.

                Rhys!

RHYS: Beth?

GARETH: Wait for me.

RHYS: Pam?

GARETH: Don't be like this.

RHYS: Fel beth, Gareth fucking Lloyd? Fel beth? What am I being like, go on, dwed wrthai, what am I being like?

GARETH: Just cool down. Please. I'm sorry. I'm sorry we went.

RHYS: Neu ti'n sori est di 'na 'da fi. 'Se ti di bod yn fine 'na ar ben dy hunan, yn byse ti? You and your boys.

GARETH: That's just silly.

RHYS: Oh yes, silly, girly little Rhys. Rhys is silly.

Rhys is just bloody silly. Gareth is not silly.
Gareth is all fucking man.

GARETH: You what?

RHYS: Nes di ddim byd, Gareth. Dim byd. O'n i'n
sefyll mewn stafell llawn pobol a 'wi erio'd
'di teimlo mor unig. Hyd yn oed 'da'r person
'wi'n ei garu yn sefyll wrth yn ochor i. 'Run
man i ti fod yn un ohonyn nhw . . . For fuck's
sake, ti *yn* un ohonyn nhw.

GARETH: I don't understand! I'm not following!

RHYS: Exactly. You left me out there on my fucking
own.

GARETH: No I didn't!

RHYS: Yes you did! Nes di ddim.

GARETH: Stop screaming, Rhys!

RHYS: I'm not screaming. I'm shouting. There's a
difference. You did nothing, Gareth. Nes di
jyst 'weud bod fi ddim yn meddwl beth o'n
i'n 'weud. You tried to pacify him. You didn't
defend me. You should have fought for me.
You should have punched him, you should
have punched him in the face, you should have
made his nose bleed, you should have made
his eyes come out of their sockets, you should
have bloody dangos i fe bod e'n werth dim
byd a bod fi'n werth popeth, bod fi yn werth
dwrn, bod fi'n werth dy ddwrn di, Gareth.

GARETH: No you don't. You hate that. You hate that behaviour. You're the one always complaining about going out on Saturday night because there's too many drunk and violent straights. You're such a bloody hypocrite, Rhys. You can't stand the fact that I like to go out with the boys but you still want me to fight like one.

RHYS: 'Wi am i ti ymladd fel dau.

GARETH: I'm always fighting. You. You! I'm always fighting you. It's exhausting . . .

RHYS: I just want you to . . .

GARETH: . . . what do you want, Rhys?

Curiad.

GARETH: It's always a drama with you, isn't it. You always have to go over the top.

RHYS: Too much for you am I?

Curiad.

GARETH: Dunno, Rhys. Maybe you are.

Mae Gareth yn gadael.
Golau'n pylu heblaw am olau unigol ar Rhys.
Sŵn cleddyfau'n taro.

RHYS: Gareth. Gareth!

Curiad.

RHYS: Plîs.

Curiad.

RHYS: Plîs.

Daw Aneurin ymlaen.

ANEURIN: Gad e fynd.

RHYS: Na.

ANEURIN: Gad e fynd.

RHYS: Oh my God. Oh my God. Alla'i ddim neud hyn ar ben fy hun.

ANEURIN: Sdim rhaid i ti. 'Wi 'ma. We can take them on. We can take them all on.

RHYS: Ond s'o ti 'ma, Aneurin. Alli di ddim bod yma. Ni 'di symud 'mla'n. Fel 'na o'dd hi, ond ddim nawr.

ANEURIN: Ond all e fod mor brydferth. Grynda – angylion!

Clywir angylion yn canu.

RHYS: Yn canu!

ANEURIN: Ie, yn canu.

RHYS: 'Wi'n lico canu.

ANEURIN: 'Wi'n gw'bod, they're all for you.

Mae'r angylion yn dechrau canu **Fedrai M'ond Dy Garu di O Bell** *o'r ffilm* **Ibiza, Ibiza.**

RHYS: Nagyw hwn bach yn od?

ANEURIN: Beth?

RHYS: Shwt ma' nhw'n gw'bod y love song o *Ibiza, Ibiza*?

ANEURIN: God works in mysterious ways.

Curiad.

RHYS: Ond s'o ti'n credu mewn Duw.

ANEURIN: I've met him.

Curiad.

ANEURIN: He looks like Beti George and Hywel Gwynfryn.

RHYS: Shwt all e edrych fel y ddau?

ANEURIN: He's got two heads. Beti ar y chwith, Hywel ar y dde. They don't half argue.

Curiad.

RHYS: God, dwi'n caru'r gân 'ma.

ANEURIN: Gei di beth wyt ti moyn.

RHYS: Really.

ANEURIN: Really. Try it. Unrhywbeth.

RHYS: Beth am *Wind of Change*?

ANEURIN: Unrhyw beth i ti.

Mae'r angylion yn canu **Wind of Change** *gan y Scorpions.*

ANEURIN: Co ti.

RHYS: Wow. This is our soundtrack.

ANEURIN: This is our soundtrack. Our time.

RHYS: Our time.

Saib.

RHYS: Dros beth ydyn ni'n ymladd? Dros Gymru?

ANEURIN: Dros gyd-ddyn.

RHYS: Beth am Grist?

ANEURIN: He can go to hell.

RHYS: S'o ti'n ca'l dweud 'na. Ti'n fab i weinidog!

ANEURIN: I can say what I like.

Mae **Wind of Change** *wedi newid i'r emyn-dôn* Rhys.

RHYS: Ma' nhw'n canu'n emyn i!

ANEURIN: *Rhys*. It's all for you.

RHYS: Ti'n cofio ni'n canu hon yn Neuadd Dewi Sant yng nghymanfa'r Arglwydd Faer?

ANEURIN: A ti'n cofio ni'n cyfri'r pennau moel yng nghôr meibion Pendyrus?

RHYS: A cael stŵr gan Miss Jones am werthin ar ffrog y soprano . . .

ANEURIN/
RHYS: Achos bod hi'n edrych fel meringue.

RHYS: A dy Dad di'n rhoi crasfa massive i ni achos bod ti'n fab y capel a bod ti 'di embaraso fe o flaen y Maer?

ANEURIN: A ti'n cofio fi'n dweud 'se bywyd lot yn haws 'sen rhieni i'n farw achos wedyn bydden i'n gwbwl rhydd?

Saib.

ANEURIN: I wished for this.

RHYS: Nid dy fai di yw e.

ANEURIN: Nag ife?

RHYS: Nage.

Curiad.

115

ANEURIN: Well i ni newid yr emyn yfe? Mae bach yn depressing.

RHYS: Mae'n neis bod ti gytre' gyda hi. Mae'n neis bod ti 'di dod nôl am dym' bach.

ANEURIN: Beth ti moyn yn lle. *Eternal Flame*?

RHYS: Aneurin . . .

ANEURIN: Ti'n lico *Eternal Flame*, yn dwyt ti? Ti'n cofio ni'n treial slow danso i fe yn disco Melin Gruffydd a cael row gan . . .

RHYS: Aneurin . . .

ANEURIN: Na, *Ysbryd y Nos*. Ti'n lico *Ysbryd y Nos*.

Mae'r emyn-dôn **Rhys** *yn newid i* **Ysbryd y Nos.**

ANEURIN: 'Na welliant.

Curiad.

ANEURIN: Cana, Rhys.

RHYS: Cana gyda fi.

ANEURIN: Na.

RHYS: Go on.

ANEURIN: Na! This is not a musical.

RHYS: Just let yourself go, Aneurin.

ANEURIN:	Getting lost; letting go . . .
RHYS:	Na, nid fel 'na.
ANEURIN:	Fel be'?
RHYS:	Cuddio yw hwnna. Yn y tywyllwch, yn y dark rooms 'da dynion di-enw – Rhedeg bant. 'Wi'n siarad am fod yn honest.

Mae'r angylion wedi newid yn ôl i ganu'r emyn-dôn **Rhys.**

ANEURIN:	Pam newides di'r gân?
RHYS:	Sa'i di newid y gân.

Sŵn cleddyfau'n taro eto.

ANEURIN:	Do. Dim ond fi sy'n ca'l neud. Dim nawr!
RHYS:	Naddo!
ANEURIN:	Dal fi.
RHYS:	Beth sy'n bod, cariad?
ANEURIN:	Wnei di aros 'da fi, 'nei di?
RHYS:	Wel . . .
ANEURIN:	Plîs . . .
RHYS:	Nagodd . . . nagodd rhywbeth o'dd rhaid i fi neud?

ANEURIN: Nagodd.

RHYS: Mi o'dd. Beth o'dd rhaid i fi neud?

ANEURIN: Sdim gwahaniaeth. Aros 'da fi.

RHYS: Na, alla'i ddim, o'dd rhywun, o'dd rhywun . . .

Mae'r angylion yn canu'r hwiangerdd **Cysga Di Fy Mhlentyn Tlws.**

ANEURIN: But I'll sing! I'll sing for you. Whatever you want. All e fod mor brydferth. Allwn ni fod mor brydferth.

RHYS: Prydferth? Fyse fe ddim yn brydferth. 'Se fe ddim yn gweitho.

ANEURIN: Pam?

RHYS: We don't fancy each other!

ANEURIN: Come on, Rhys! It's war. Survival of the fittest. Let's take them all on. Ti a fi?

RHYS: Dyw rhyfel ddim yn brydferth. Ma' rhyfel yn hyll uffernol. Drycha.

Curiad.

Casualties yn barod.

Mae'r golau'n codi ar Gavin.

ANEURIN: Cysgu ma' fe. (*Gan fynd ato*) Ti'n cysgu yn
                 dwyt ti, fy nghariad bach i?

Mae Aneurin yn cymryd Gavin yn ei freichiau.

                 'Cysga di fy mhlentyn tlws,
                 Cysga di fy mhlentyn tlws,
                 Cysga di fy mhlentyn tlws,
                 Cei gysgu tan y bore
                 Cei gysgu tan y bore.'

*Mae Rhys yn gadael. Mae'r angylion yn peidio canu ond mae'r
gerddoriaeth yn parhau.*

Tirwedd esmwyth ieuenctid
Yn ddolur yn fy nwylo.
Hedfan Icarus
I haul dy ogoniant:
Disglair ddyfodol
Heb ddisgyn,
Fel gwnes i,
I ddyfnder y dŵr du.
Dwi'n dal i ddisgyn.
Mor dywyll.
Mor dywyll.
I'r chwant y rhêd y dŵr
O fôr nostalgia.

LLAIS DADA: Aneurin.

ANEURIN:
Ti moyn fi yndwyt?
Bychan.
Ti moyn fi?

Fi moyn ti.
Fi moyn ti.

Mae'r golau'n codi ar Dada a'r gerddoriaeth yn dod i ben yn sydyn.

DADA: Aneurin. Aneurin.

Mae'r golau'n newid. Fflat Dada. Mae Gavin yn griddfan yng ngafael tynn Aneurin.

DADA: Aneurin.

ANEURIN: Dada?

DADA: Dere fan hyn, Gavin bach.

Mae Gavin yn mynd at Dada.

DADA: Co ti. Dere di.

Curiad.

DADA: Beth nes di?

ANEURIN: Sa'i di neud dim byd.

DADA: 'Na ti, Gavin bach, mae'n olreit. (*Wrth Aneurin*) Be' mae 'di gymryd? (*Wrth Gavin*) Ti'n olreit. 'Na ni. 'Na ni, cariad bach.

ANEURIN: Gad e fynd. Gad e fynd.

DADA: Aneurin, 'stedda lawr, ti off dy ben.

ANEURIN: Gad e fod!

DADA: O'dd e'n sgrechen!

Curiad.

DADA: Pam o'dd e'n sgrechen, Aneurin?

Curiad.

ANEURIN: O'dd e ddim.

DADA: Beth nes di?

ANEURIN: Nes i ddim byd.

DADA: Sai'n rhoi cyfle arall i ti, Aneurin. Dwi'n cyfri i dri a ti naill ai'n dweud wrtha'i beth ddigwyddodd neu ti'n gadel.

Curiad.

DADA: Un . . .

ANEURIN: Oh for fuck's sake . . .

DADA: Dau . . .

ANEURIN: . . . ti'm yn Dad i fi.

Curiad.

DADA: Tri.

ANEURIN: Ti'n meddwl fi jyst yn mynd i adel, and let you have your wicked way gyda fe?

DADA: Paid bod yn ridiculous, Aneurin.

ANEURIN: Ti'n ddigon hen i fod yn Ddadcu iddo fe.

DADA: Mas.

ANEURIN: Jyst achos bod ti'n lonely old queen s'o fe'n esgus i neud yn siwr fod pawb arall yn bennu lan yr un ffordd a ti.

Saib.

ANEURIN: Oh my God. Oh my God.

Curiad.

ANEURIN: Sori.

Saib.

ANEURIN: Dada, 'wi mor sori. Dada?

GAVIN: I want my Mam. I want to go home.

DADA: Dere di. Dere di 'machgen i.

Mae Dada'n ei dywys o'r ystafell.

8

Y Billy Banks.
Mae Gareth yn edrych allan ar yr olygfa.
Mae Rhys yn ymddangos tu ôl iddo.

GARETH: It looks a bit like LA.

RHYS: Na dyw e ddim.

Curiad.

GARETH: How did you know I'd be here?

RHYS: Just a hunch. A place for anniversaries. And break ups.

Curiad.

GARETH: It *does* look a bit like LA.

9

Tŷ Bach Dada.

GAVIN: Fi'n sori. Fi'n really sori.

DADA: Peidiwch â phoeni nawr.

GAVIN: Ond mae'n so neis yma. Fi wedi neud mess.

DADA: Gliriwn ni hwn lan yn gloi.

GAVIN: Splashes i hi . . .

DADA: Lavinia? Ma' Lavinia di gweld gwaeth.

GAVIN: Lavinia?

DADA: Ie, am ei bod hi'n eistedd ar y lavatory.

Mae Gavin yn chwerthin.

GAVIN: O . . . paid neud fi chwerthin. Mae'n brifo
            pan fi'n chwerthin. (*Chwerthin yn troi'n grio*).

DADA: Jiw, jiw, beth sy'n bod, Gavin bach?

GAVIN: Ti jyst mor neis i fi. Sai'n deall pam ti mor
            neis i fi.

DADA: Why ever not, cariad bach?

GAVIN: Ti ddim yn nabod fi.

DADA: Nagw i?

GAVIN: Dim really. Dim fel ffrindiau ti. Ti'n gwybod. Like adnabod. Like adnabod pethau am rywun sy'n neud nhw'n hapus neu'n scared. Cael memories gyda nhw.

DADA: Wel dyma chi atgof, Gavin. Atgof penigamp. Chi, fi a Lavinia.

Curiad.

GAVIN: Ti'n gw'bod beth sy'n neud fi'n scared?

DADA: Beth?

GAVIN: Yvette Fielding's *Most Haunted.*

Curiad.

DADA: Beth ddigwyddodd?

GAVIN: Mae'n OK. Nid bai fe oedd e.

DADA: Gavin . . .

GAVIN: Nid bai fe oedd e.

Curiad.

GAVIN: Fi'n really hoffi Aneurin, Dada. Fi moyn bod fel fe.

DADA: Alla'i ddeall 'ny bach, alla'i ddeall pam. Ond dyw . . .

125

GAVIN: Mae'n different. Mae'n neud pethau
               interesting. Like poem fe am chi.

DADA: Beth?

Saib.

DADA: Be' chi'n feddwl, Gavin?

GAVIN: Dim byd.

DADA: Gavin.

GAVIN: Fi ddim fod dweud. Mae'n secret.

DADA: Oh, OK.

Curiad.

GAVIN: Mae'n rhaid ti addo peidio dweud. Addo?

DADA: Gaddo.

GAVIN: Ar mam's life ti.

DADA: Wel . . .

GAVIN: Oh my God. Fi'n sori. Fi'n totally trusto ti
               anyway. Totally, totally, totally.

Curiad.

               Mae Aneurin yn ysgrifennu poem am chi, i'r
               Eisteddfod. Nagyw hwnna'n cool? Mae'n
               really caru chi, nagyw e?

DADA: Ydi e?

GAVIN: Ydi. Mae'n brilliant, fi wedi clywed peth o fe. Mae am ti a Mr Thomas a Geraint . . .

DADA: Gareth?

GAVIN: Ie, Gareth. Fi'n gobeithio bydd rhywun yn caru fi gymaint i ysgrifennu poem am fi un diwrnod.

Curiad.

GAVIN: Diolch, diolch am fod mor neis i fi.

DADA: Ma' pawb yn haeddu maldod.

GAVIN: Beth yw maldod?

DADA: Bach o gariad. Tyco ti lan yn gynnes neis ar y soffa pan y't ti'n dost a bwydo rich tea i ti wedi dynco mewn te. 'Na beth yw maldod.

GAVIN: Ife 'na beth o'dd mam ti'n arfer neud?

DADA: Ie.

Saib.

GAVIN: 'Wi'n lico maldod.

DADA: A fi. A fi, Gavin bach.

10

Y Billy Banks.

RHYS: Ddylet ti ddim 'di gyrru 'ma.

GARETH: I can do what I want.

RHYS: Not when you're in prison.

GARETH: I wanted to come here.

RHYS: Ddim 'na'r pwynt.

GARETH: Leave it.

RHYS: Ond mae'n really stupid.

GARETH: I'm not stupid!

RHYS: Ddim 'na beth wedes i.

Curiad.

GARETH: For fuck's sake, Rhys.

RHYS: Ddim 'na beth wedes i!

GARETH: You think you're fucking it. You think you're always right.

RHYS: Na fi ddim.

GARETH: Yes you do. Everything's your choice. Your decision. I'm not even in the bloody equation am I? I just happen to be here because you were kind enough to let me in. Wel diolch yn fawr, sir! Diolch, for allowing me into such a privileged life. I come away a richer man for it.

RHYS: Ti 'di gweud 'ny dy hunan. Sawl tro.

Curiad.

GARETH: Oh my God, you really believe that! You really think I'd be nothing without you.

RHYS: I'm just saying that you always say how much your life has changed. How you've grown as a person since meeting my friends, learning my language.

GARETH: *Your* friends. *Your* language. Oh for Christ's sake!

RHYS: 'Na beth wedes di.

GARETH: Change is a good thing. You couldn't change if you tried. You're a fucking stubborn ass.

Curiad.

RHYS: Gareth.

GARETH: I don't need you.

RHYS: Awn ni gytre'.

GARETH: Na.

RHYS: OK.

GARETH: I said I don't need you.

RHYS: I know.

Curiad.

GARETH: I don't get it Rhys. I really don't get it. Where
            have you gone? I know you're still there
            because I see it, I've seen it tonight. I see the
            way you are with Aneurin and even with that
            kid, that kid on St Mary's Street. Your fucking
            kids get to spend more time with the Rhys I
            met and fell in love with, and I don't anymore,
            ever. Ever. So there's something really wrong
            here or I'm really wrong here.

RHYS: Ti ddim yn wrong. Ti ddim. Ti'n . . .

GARETH: Patronized, shouted at, never good enough.

RHYS: Dwi'n genfigennus.

GARETH: No, Rhys. No. No drama. Plain, simple, no
            drama.

RHYS: That was Welsh!

GARETH: No. That was drama.

Curiad.

RHYS: I just don't want you to die.

GARETH: What?

RHYS: Yn y car. You were off your face, you always
                 get off your face, and you got in the car a
                 'nes di ddreifo mas 'ma, ar ben dy hunan yn y
                 tywyllwch. Off your face. Alle unrhyw beth
                 'di digwydd i ti. A ti jyst yn sefyll 'na, yn
                 sefyll 'na fel se hwnna'n OK. But it's not OK,
                 OK? You could have died, or you could have
                 killed someone and you could have gone to
                 jail a 'se hwnna'n neud fi'n . . .

GARETH: Woah . . . slow down, bach, what's going on?

RHYS: A falle bo fi'n stwbwrn, a falle bo fi'n bossy,
                 but I don't get into a car off my face and
                 drive, do I?

GARETH: What's that got to do with anything?

RHYS: Popeth, Gareth, popeth. 'Cause I need you,
                 you twat. I need you. I love you.

Saib.

                 Fi'n meddwl ti'n blydi brilliant.

Saib.

GARETH: Wow. Yr haul.

Saib.

GARETH: I chose Richard Whiteley.

RHYS: I would have so gone with Carol Vorderman.

Curiad.

RHYS: It *does* look a bit like LA.

11

Lolfa Dada.

DADA: Wnes i ofyn i ti adel.

ANEURIN: Ydi e'n iawn?

DADA: Mae'n cysgu. Nawr cer.

ANEURIN: Ond fydd e'n iawn, yn bydd?

DADA: Ddim 'na'r pwynt.

Mae Dada'n edrych ar y botel Bollinger gwag ar y bwrdd.

ANEURIN: Bryna'i un arall.

DADA: Ddim 'na'r pwynt chwaith.

Curiad.

ANEURIN: Na, ond bryna'i un arall.

Saib.

DADA: S'o ti'n 'y mharchu i wyt ti?

ANEURIN: Wrth gwrs bo fi.

DADA: Nagwyt. Neu 'set ti ddim di dod â fe gytre'
                      'da ti.

ANEURIN:	Ond wedes di nad o't ti'n lico fe yn y ffordd 'na.
DADA:	Dwi ddim, Aneurin. Ond mi o't ti'n meddwl o'n i. Dyna'r pwynt.

Curiad.

DADA:	Dim stori odw i, t'wel. Dim rhyw gymeriad yn dy waith di, dy nofel di neu pa bynnag 'epic' ti'n digwydd bod yn scriblo. Dwi ddim yn rhyw ddrychiolaeth hanesyddol. Dwi'n gig a gwaed. Dwi'n teimlo. Dwi'n werthin. Dwi'n llefen. Dwi'n caru.
ANEURIN:	Dwi'n caru. 'Wi yn, Dada, 'wi yn. 'Wi'n sori. 'Wi'n caru ti.
DADA:	Wyt ti? Ma' cariad yn ferf, t'wel. Rhywbeth ti'n neud. Rhywbeth ti'n ddangos. Nid rhywbeth ti'n ddweud. Mae'n golygu commitment, Aneurin. When the shit hits the fan, ti ddim yn rhedeg, ti ddim yn dewis rhywbeth neu rywun arall. Mae cariad yn golygu ti 'di neud dy ddewis yn barod.
ANEURIN:	Dim cariad yw hwnna, teyrngarwch yw hwnna.
DADA:	For Christ's sake, Aneurin, 'na beth yw cariad.
ANEURIN:	That's so old fashioned.
DADA:	Ma' bod yn ffyddlon yn hen ffasiwn?

ANEURIN: Sdim rhaid i ni ddilyn y rheolau . . .

DADA: Oh for God's sake, Anuerin, you have to commit to something!

ANEURIN: No I don't.

DADA: Ti ffili rhedeg o hyd – o dy deulu, o Gymru . . .

ANEURIN: Sai'n Gymro!

DADA: Wyt mi wyt ti.

ANEURIN: I can be who I want to be.

DADA: Dyw hynny ddim yn fater o ddewis, Aneurin. Enjoy the contradictions. Enjoy the mess.

ANEURIN: Or rewrite who I am. I can do that.

DADA: Ti ddim yn special, Aneurin. Fi wastad 'di meddwl bod ti. Achos mi o't ti'n exciting! O't ti fel chwa o awyr iach bob tro o't ti'n dod nôl drwy'r drws 'na. Ond nid awyr iach wyt ti, ti'n ddim byd ond hen ddrafft. Ti'n fachgen bach sy'n gwrthod tyfu lan. You're just fucking as many holes as you can, to try and avoid thinking about the gaping one in your life, and you're fucking up everything else in the process.

Mae Rhys a Gareth yn cyrraedd.

ANEURIN: I'm going home.

DADA: S'o ti'n gw'bod ystyr y gair.

Curiad.

GARETH: What's going on?

RHYS: Aneurin?

DADA: Mae Aneurin jyst yn gadel.

RHYS: O's rhywun yn mynd i 'weud wrtho ni?

GARETH: What the hell's been going on?

Mae Gavin yn dod i mewn.

GAVIN: Mr Thomas?

Curiad.

RHYS: Beth ma' fe'n neud 'ma? Dada?

DADA: Gofyn i Aneurin.

GAVIN: Dim bai fe yw e. Fi'n digon hen i gwybod be' fi'n gwneud.

RHYS: Beth?

ANEURIN: It's all fine, honestly.

RHYS: You twat.

DADA: Dere 'mla'n, Gavin.

GAVIN: Na.

RHYS: Shwt allet ti fod mor dwp!

ANEURIN: Sdim problem, honestly.

RHYS: Sdim problem? Sdim problem?! Allen i golli'n
            swydd.

GAVIN: Sai'n mynd i dweud.

ANEURIN: Paid bod yn sofft. S'o fe ddim byd i neud
            'da'r ysgol.

RHYS: Mae'n blydi disgybl yn yr ysgol.

ANEURIN: Cyn-ddisgybl. S'o ti'n dysgu e rhagor!

RHYS: Ie, achos o'dd rhaid i fi symud e *lawr* set.
            Blwyddyn unarddeg yw e. Pymtheg mlwydd
            o'd yw e!

ANEURIN: So what? O'n ni'n bymtheg. Ti'n cofio?

Saib.

GAVIN: Mr Thomas?

Curiad.

RHYS: Gavin.

GAVIN: Mae'n OK. Fi'n addo. Fydda i'n neud e'n
            OK.

Saib.

GAVIN: Ma' pen fi'n teimlo fel car crash.

DADA: A'i nôl dŵr i chi, bach.

GAVIN: Oh fuck, fi mynd i fod yn sick.

DADA: Dere 'da fi.

GAVIN: Oh fuck . . .

DADA: Mae'n olreit, dere'n gloi, bach.

Mae Dada a Gavin yn gadael.

RHYS: That's it.

ANEURIN: O'n i ddim yn gw'bod!

RHYS: Ti 'di mynd rhy bell tro 'ma. Mae'n fess. Complete and utter mess.

Curiad.

RHYS: 'Yn job i, Aneurin. My bloody job.

ANEURIN: Paid bod yn silly.

RHYS: Ti'n gwbod beth, Aneurin, you actually repulse me. Ti'n disgusting. Beth o'dd hwn i fod? Stori arall i ti 'weud? Ti 'di bod 'da vicar, ti 'di bod 'da Superman. Might as well score a hatrick with a schoolboy.

ANEURIN: S'o fe'n ddim byd gwahanol i beth ti'n neud 'da Gareth.

RHYS: Beth?

GARETH: What the fuck does that mean?

ANEURIN: Ti jyst yn llenwi dy fywyd di 'da fe achos mae'n neud ti'n teimlo'n special. Ti wastad yn mynd mas 'da pobol ti'n meddwl ti'n well na nhw.

GARETH: I'm here you know, I can understand you.

ANEURIN: You would never, ever, go out with anyone who could challenge you.

GARETH: You think Rhys is better than me?

ANEURIN: No, I think Rhys is cleverer than you. But it's OK because you're younger and hotter than he is.

Daw Dada nôl i mewn.

DADA: Bydden i'n gadel 'sen i'n ti.

ANEURIN: Why, have I pulled?

DADA: Cer, cyn i fi ffono'r police . . .

ANEURIN: Rubbed him better?

DADA: Paid ti â meiddio . . .

ANEURIN: Oh come on! Come on! Don't play innocent, Dada. We all know how it is.

DADA: Grow up, Aneurin.

ANEURIN: You're the one who refuses to grow up. Ti byth yn ware 'da unrhyw un dy oedran di wyt ti. Daddy? You like your boys, don't you? Your lost boys. Ni'n cadw ti'n ifanc, or do we turn you on? We're all your lost boys. A 'na beth o'dd Gavin i fod ife? Recruit bach arall? To make you feel loved, wanted.

RHYS: Stopa'i, Aneurin, plîs stopa'i . . .

ANEURIN: Achos 'na pam ma' pobol yn ca'l plant yndyfe? Because deep down they know there is no meaning to life. It's ridiculous! Ni'n sefyll ar blaned mewn bydysawd sy' byth yn gorffen. It's absolutely absurd. Does 'na ddim Duw. Does 'na ddim gwyrthiau. And so some people fuck, and some people become gym managers and some, teachers and, and . . . You're bored! You're all bored. 'Cause it's shit here. You're jealous. 'Cause it's shit here and . . . and . . . I write and I fuck. I write and I fuck achos does dim byd yn digwydd i ni wedyn – that's it, we just die – and so I might as well just write and fuck, and other people, other people have children, and other people who can't have them, just surround themselves with them because they want to fuck them instead.

Mae Gareth yn taro Aneurin yn ei wyneb â'i ddwrn. Mae Aneurin yn syrthio.

ANEURIN: Mae 'di marw.

Saib hir. Mae Aneurin mewn dagrau. Maent yn syllu arno am gyfnod, neb yn medru symud.

Mae Rhys yn mynd ato.

RHYS: Dere fan hyn.

ANEURIN: I . . . I . . . I . . .

RHYS: Sssh nawr.

ANEURIN: Mae 'di marw.

Mae Aneurin yn beichio crio.

RHYS: Sssh. Gareth, get some ice.

DADA: Drawer waelod, bach.

Mae Gareth yn mynd i nôl iâ.

Saib.

ANEURIN: She died and I wasn't there.

RHYS: Gad fi rhoi hwn arnat ti (*sef y iâ*)

ANEURIN: I didn't go.

RHYS: Ca' dy lygaid, bach.

ANEURIN: Aw.

RHYS: 'Na ni. Dal e i fi.

ANEURIN: Pam ti'n bod mor neis i fi? I'm horrible. I'm so horrible.

RHYS: Co ti.

ANEURIN: 'Wi mor sorry.

Curiad.

DADA: A fi, bach.

Curiad.

RHYS: Pam na wedes di?

ANEURIN: I said all those things.

Curiad.

ANEURIN: Rhaid i fi fynd gytre'.

RHYS: Ddim 'to, s'o ti mewn unrhyw stad.

ANEURIN: Ond s'o nhw'n gw'bod lle odw i. O'n i fod mynd gytre' ddo', a nes i jyst ddim mynd. A mae 'di marw. And I was being fucked on Hampstead Heath.

Curiad.

ANEURIN: 'Raar, I just died in your arms tonight' . . .

Mae Aneurin yn dechrau chwerthin.

RHYS: Twat.

ANEURIN: Knob.

Curiad.

ANEURIN: I'm scared of going home.

RHYS: Sdim ise ti bod ofn.

ANEURIN: I just want to be a little boy again.

RHYS: Na ti ddim.

ANEURIN: It was easier then.

RHYS: Nagodd e ddim.

ANEURIN: Ni yn erbyn y byd.

RHYS: Dyw'r byd ddim yn ein herbyn ni, Aneurin. Ddim rhagor. Mae 'di newid, ti jyst ddim 'di sylwi. Dyw dy deulu di definitely ddim yn dy erbyn di.

ANEURIN: They would be if they knew the whole truth.

Saib.

RHYS: Ma' jyst ise ti fod yn onest. Gwed wrtho fe.

ANEURIN: Y gwir yn erbyn y byd?

RHYS: Sdim shwd beth â'r gwir yn erbyn y byd.

ANEURIN: Sdim shwd beth â heddwch 'te, oes 'na?

Curiad.

RHYS: Oes.

Curiad.

ANEURIN: Nes i ddim byd iddo fe. 'Wi'n addo. Jyst dal e. Ond o'n i'n dal e'n really dynn. Yn really, really dynn. A ga'th e ofn. Ond o'n i jyst ddim moyn gadel e fynd.

12

Amlosgfa Thornhill.

ANEURIN:
Haul braf y gwanwyn.
Llwyth o ddynion,
Llwyth o deulu,
Llwyth o gyfeillion,
Tylwyth.
Oll yn eu lifrau duon . . .

RHYS: (*Wrth Gareth*) S'o fe 'di gweud dim byd drwy'r
bore.

ANEURIN:
Dad yn llefen.
Dwi'n gafael yn ei law,
Heb feddwl.
Un eiliad tragwyddol
Dau ddyn yn gwlwm o gariad:
Ac mae'n gwasgu.

A'i waed sy'n gynnes.

'Rhaid gwisgo cot,
Rhaid gwisgo het,
Rhaid rhoddi maneg ar bob llaw.
Dweud dabo i'n hysgol ni'
A dweud dabo wrth mami,
A dweud dabo wrth mami.

RHYS: Ti'n olreit?

Curiad.

ANEURIN: Shit, dy gystadleuaeth di. Nagyw dy
gystadleuaeth di . . .

RHYS: Sai'n mynd.

ANEURIN: Beth am dy solo di?

RHYS: It's sorted. Ti sy'n bwysig.

Curiad.

ANEURIN: Diolch.

Curiad.

ANEURIN: Chi'n gw'bod lle 'wi moyn mynd?

Mae'r côr yn ymddangos. Gavin sy'n canu unawd Rhys. Mae'n canu pennill cynta Ysbryd y Nos, ac yna mae'r gerddoriaeth yn parhau.

ANEURIN:
Ymlwybro'n araf o Thornhill,
Car yn cruiso'r ddinas.
I lawr Heol Penarth
Hyd nes cyrraedd y dibyn,
Lle saif y Billy Banks
Creithiau brwydr
Yn dyst ar ei dalcen.

DADA: We've both seen better days.

ANEURIN:
Y Bae oddi tanom,
Gwesty Dewi Sant,
Stadiwm y Mileniwm –
Brwydr cynnydd a brad y bobol:
Make way, make way for progress.

DADA: I feddwl bo fi'n byw 'ma unwaith.

RHYS: Y Cwîn yn erbyn y byd!

DADA: Rhoison nhw'r 'Danger Keep Out' 'na i
rybuddio pobol amdana i.

ANEURIN: It's where it all began . . .

RHYS: Fan hyn nethon ni bron bennu.

ANEURIN:
Rhys a Gareth.
Dau enaid hoff gytun
Yn cydio'n dynn
A Chaerdydd yn ei gogoniant
Yn chwerthin yng ngolau'r haul.

DADA: Ni yn lwcus, yndyn ni?

Curiad.

ANEURIN: Wedes i wrtho fe, chi'n gw'bod.

RHYS: Dy dad?

ANEURIN: (*Yn drist*) O'dd e'n OK.

Curiad.

ANEURIN: Gynigodd e Welsh cake i fi.

DADA: Co ti special occasion! Trueni bod ti 'di agor y Bollinger 'na.

Mae Aneurin yn datguddio potel o Bollinger.

Saib hir.

DADA: 'I am what I am.
I am my own special creation' . . .

Mae Dada'n parhau gyda'r gân.
Mae'r côr yn canu plethwaith o **Ysbryd y Nos, Chwarae'n Troi'n Chwerw** *ac* **I Am What I Am** *yn gyfeiliant i'r ddeialog ganlynol.*

GARETH: God, how cheesy is this?

RHYS: Ddyle rhywun dynnu llun!

GARETH: Or sing a song. It's beginning to feel like a musical.

ANEURIN: Oh my God, Dada, beth sy'n bod 'da ti?

DADA: Dwi just yn browd ohonot ti.

ANEURIN: Ti jyst yn walking cliché!

RHYS: (*Gyda'r côr*) 'Ac mae chwarae'n troi'n chwerw' . . .

ANEURIN: Nid ti 'fyd!

RHYS: Come on, o't ti'n arfer dwli canu hon . . .

Mae Rhys yn parhau gyda'r gân.

ANEURIN: Rhys Thomas, if you don't shut up this second I will put this bottle lle dyw'r haul ddim yn gwenu.

GARETH: I better start singing then, I'd enjoy that!

Mae Gareth yn canu llinell olaf cytgan **Ysbryd y Nos.**

ANEURIN: Oh my God, this is ridiculous!

Mae Gavin a'r côr yn canu cyfuniad o gytgan **Y Cwm** *a chytgan* **O'r Fan Acw.**

DADA: Os ti ddim moyn canu alli di wastad sgwennu cerdd . . .

Curiad.

ANEURIN: Sai'n really mynd i anfon hi mewn.

DADA: Well i ti fennu hi, gw' boi. I want to be immortalised!

ANEURIN: Na, 'wi'n mynd i fennu hi, 'wi jyst ddim moyn anfon hi mewn.

Curiad.

I'm no Hedd Wyn.

GARETH: You going to open that before I sit on it?

Mae Aneurin yn gwenu.

RHYS: Co ti wên 'wi 'di golli.

Mae'r gerddoriaeth wedi newid i gyfieithiad Cymraeg o **Come What May** *wedi ei chyfuno gyda* **Y Cwm.**

Maent yn agor y Bollinger ac yn yfed o'r botel.

Mae'r gerddoriaeth yn cyrraedd uchafbwynt, yna'n parhau yn dawel.

GARETH: Do you think it looks like LA?

ANEURIN:
A co ni'n edrych am eiliad.
Y Golden Girls,
Fi, Dada, Gareth a Rhys.
Yn herio'r gorwel,
A'r haul yn wenfflam.

Y Diwedd.

Cyhoeddiadau Dalier Sylw

Y Cinio (Geraint Lewis)
Hunllef yng Nghymru Fydd (Gareth Miles)
Epa yn y Parlwr Cefn (Siôn Eirian)
Wyneb yn Wyneb (Meic Povey)
"i" (Jim Cartwright – cyf. Cymraeg John Owen)
Fel Anifail (Meic Povey)
Croeso Nôl (Tony Marchant – cyf. Cymraeg John Owen)
Bonansa! (Meic Povey)
Tair (Meic Povey)

Cyhoeddiadau Sgript Cymru

Diwedd y Byd / Yr Hen Blant (Meic Povey)
Art and Guff (Catherine Treganna)
Crazy Gary's Mobile Disco (Gary Owen)
Ysbryd Beca (Geraint Lewis)
Franco's Bastard (Dic Edwards)
Dosbarth (Geraint Lewis)
past away (Tracy Harris)
Indian Country (Meic Povey)
Diwrnod Dwynwen (Fflur Dafydd, Angharad Devonald, Angharad Elen, Meleri Wyn James, Dafydd Llywelyn, Nia Wyn Roberts)
Ghost City (Gary Owen)
AMDANI! (Bethan Gwanas)
Community Writer 2001-2004 (Robert Evans, Michael Waters ac eraill)
Drws Arall i'r Coed (Gwyneth Glyn, Eurgain Haf, Dyfrig Jones, Caryl Lewis, Manon Wyn)
Crossings (Clare Duffy)

Life of Ryan... and Ronnie (Meic Povey)
Cymru Fach (Wiliam Owen Roberts)
Orange (Alan Harris)
Hen Bobl Mewn Ceir (Meic Povey)
Acqua Nero (Meredydd Barker)
Buzz (Meredydd Barker)

Cyhoeddiadau Sherman Cymru

Maes Terfyn (Gwyneth Glyn)
The Almond and The Seahorse (Kaite O'Reilly)
Yr Argae (Conor McPherson – cyf. Cymraeg Wil Sam Jones)
Amgen:Broken (Gary Owen)
Ceisio'i Bywyd Hi (Martin Crimp - cyf. Cymraeg Owen Martell)
Cardboard Dad (Alan Harris)

Ar gael o -

Sherman Cymru, Ffordd Senghennydd, Caerdydd, CF24 4YE
029 2064 6900

Dewisiad o gyhoeddiadau hefyd ar gael o – **www.amazon.co.uk/shops/sherman_cymru**